수능특강 Q 미니모의고사

한국사영역 | 한국사

KB214225

본 교재의 강의는 TV와 모바일, EBS*i* 사이트(www.ebsi.co.kr)에서 무료로 제공됩니다.

발행일 2021. 2. 10. **1쇄 인쇄일** 2021. 2. 3. **신고번호** 제2017-000193호
펴낸곳 한국교육방송공사 경기도 고양시 일산동구 한류월드로 281
기획 및 개발 EBS 교재 개발팀
표지디자인 디자인싹 **편집** 신흥이앤비 **인쇄** ㈜재능인쇄 **사진** 북앤포토, ㈜아이엠스톡
인쇄 과정 중 잘못된 교재는 구입하신 곳에서 교환하여 드립니다.

📄 정답과 해설은 EBS*i* 사이트(www.ebsi.co.kr)에서 다운로드 받으실 수 있습니다.

| 교재 내용 문의 | 교재 및 강의 내용 문의는 EBS*i* 사이트 (www.ebsi.co.kr)의 학습 Q&A 서비스를 활용하시기 바랍니다. | 교재 정오표 공지 | 발행 이후 발견된 정오 사항을 EBS*i* 사이트 정오표 코너에서 알려 드립니다. **EBS*i* 사이트 ▶ 교재 ▶ 교재 정오표** | 교재 정정 신청 | 공지된 정오 내용 외에 발견된 정오 사항이 있다면 EBS에 알려 주세요. **EBS*i* 사이트 ▶ 교재 ▶ 교재 정정 신청** |

쏟아지는
무수한
교재 속
역시 진짜는 EBS

성능 확실한 수능특강 연계
완전 정복 커리큘럼

수능특강

전영역

교육과정과 최신 수능을 반영한 핵심 내용 제시
수능 시험을 대비하는 수험생이라면 꼭 봐야 할 교재

수능특강 **사용설명서**

국·수·영·한·사·과

진짜가 만든 진짜 분석집
수능특강을 공부하는 가장 쉽고 빠른 방법

수능특강 **연계 기출**

국어·영어

수능특강과의 완벽한 시너지
수능특강 지문과 유사도가 높은 기출문제 선별 수록

수능연계교재의 VOCA 1800 · 국어 어휘

국어·영어

어휘로 판가름 나는 수능 등급
연계교재의 어휘 학습을 한 권으로 완성

수능특강 Q
미니모의고사

한국사영역 | 한국사

이 책의 **구성과 특징**

- 한국교육과정평가원이 감수한 과년도 EBS 수능 연계교재의 우수 문항을 선제하여 미니모의고사 형태로 구성하였습니다.
- 제한 시간 내에 문제를 푸는 연습을 통해 실전에 대비할 수 있습니다.
- 문항에 따라 배점이 다릅니다. 3점 문항에는 점수가 표시되어 있고, 점수 표시가 없는 문항은 모두 2점입니다.

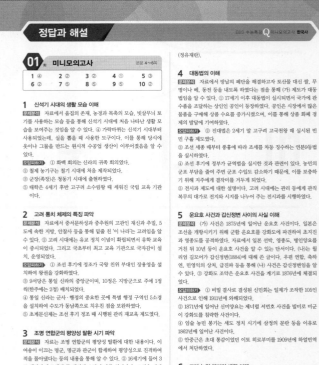

학습자 스스로 문제의 핵심을 파악할 수 있도록 명확한 해설을 제공합니다. 잘 풀리지 않는 문제는 해설을 통해 확실히 이해할 수 있습니다.

이 책의 **차례**

※ 미니모의고사 학습 계획을 세우고 매일 실천해 보세요!
※ 풀이 시간과 틀린 문항을 정리해 복습에 활용하세요!

모의고사	문제	해설	학습일	풀이 시간	헷갈린 문항 / 틀린 문항 번호
01회	4쪽	49쪽	월 일	분	
02회	7쪽	51쪽	월 일	분	
03회	10쪽	53쪽	월 일	분	
04회	13쪽	55쪽	월 일	분	
05회	16쪽	57쪽	월 일	분	
06회	19쪽	59쪽	월 일	분	
07회	22쪽	61쪽	월 일	분	
08회	25쪽	63쪽	월 일	분	
09회	28쪽	65쪽	월 일	분	
10회	31쪽	67쪽	월 일	분	
11회	34쪽	69쪽	월 일	분	
12회	37쪽	71쪽	월 일	분	
13회	40쪽	73쪽	월 일	분	
14회	43쪽	75쪽	월 일	분	

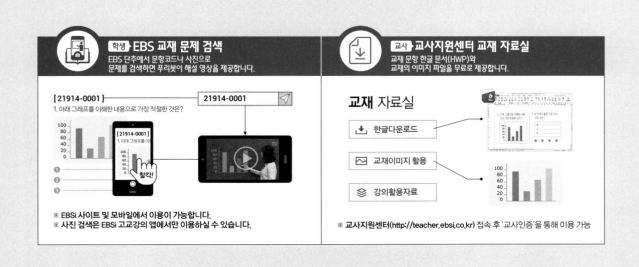

학생 EBS 교재 문제 검색
EBS 단추에서 문항코드나 사진으로 문제를 검색하면 푸리봇이 해설 영상을 제공합니다.

[21914-0001]
1. 아래 그래프를 이해한 내용으로 가장 적절한 것은?
21914-0001
[21914-0001]
1. 아래 그래프를 이해
찰칵!
①
②
③

※ EBSi 사이트 및 모바일에서 이용이 가능합니다.
※ 사진 검색은 EBSi 고교강의 앱에서만 이용하실 수 있습니다.

교사 교사지원센터 교재 자료실
교재 문항 한글 문서(HWP)와 교재의 이미지 파일을 무료로 제공합니다.

교재 자료실
⬇ 한글다운로드
🖼 교재이미지 활용
≋ 강의활용자료

※ 교사지원센터(http://teacher.ebsi.co.kr) 접속 후 '교사인증'을 통해 이용 가능

01 회 미니모의고사

○ 알고 맞힘 　 /10 　△ 헷갈림 　 /10 　✕ 모르고 틀림 　 /10

[21914-0001] ○ △ ✕

1 다음 생활 모습이 처음 나타난 시기의 대화 내용으로 가장 적절한 것은?

① 화백 회의가 내일 소집된다고 하더군.
② 철제 농기구를 사용하여 농사지을 생각이네.
③ 군장의 무덤을 만드는 데 곧 동원된다니 걱정이네.
④ 가락바퀴를 사용해서 내일부터 옷을 만들어야겠네.
⑤ 유교 경전을 공부하기 위해 다음 달 태학에 들어간다네.

[21914-0002] ○ △ ✕

2 밑줄 친 '이 나라'에서 있었던 사실로 옳은 것은? [3점]

〈**이 나라**에서 행해지는 의례 중 일부〉

• 국왕과 신하들의 회동 : 중서문하성과 중추원의 고관인 재신과 추밀은 국왕과 마주 대하고 예의를 갖춰 절을 올린다.
• 국왕의 지방 행차 : 국왕의 어가가 5도에 속한 지방에 행차하면 안찰사 등이 참장(자기 소개장)을 올린다. 국왕이 이를 받으면 안찰사 등은 절하고 하례를 올린다.

① 장용영이 설치되었다.
② 국자감이 운영되었다.
③ 9서당 10정이 갖추어졌다.
④ 5소경 제도가 마련되었다.
⑤ 초계문신 제도가 시행되었다.

3 다음 상황이 나타난 시기를 연표에서 옳게 고른 것은?

이여송이 대병력의 군대를 거느리고 곧바로 평양성 밖에 다다라 여러 장군에게 부대를 나누어 본성을 포위하였습니다. 왜적 2천여 명이 성 북쪽의 모란봉으로 올라가 청기와 백기를 세우고 함성을 지르며 총포를 쏘았습니다. …… 아침밥을 먹은 뒤 3영의 장관과 함께 각각 해당 장령과 군인을 거느리고 칠성문·함구문·보통문 밖에 진을 치고, …… 명군의 일대는 본국의 관군과 더불어 함구문으로 들어가고, 일대는 보통문으로 들어가고, 일대는 적성에 올라 기병과 보병이 구름처럼 모여들어 사면으로 공격하며 죽이니 적이 무너졌습니다.

– 『○○ 실록』 –

(가)	(나)	(다)	(라)	(마)
위화도 회군	3포 왜란	정유 재란	인조 반정	정묘 호란	병자 호란

① (가)　　② (나)　　③ (다)　　④ (라)　　⑤ (마)

4 (가) 제도에 대한 설명으로 옳은 것은? [3점]

방납의 폐단을 해결하기 위해 공납 물품을 관리하는 장부인 공안(貢案)을 개정하자고 주장하던 관료들도 결국 (가) 의 실시에 찬성하게 됩니다. 토산물 대신 쌀, 무명이나 베, 동전 등을 내도록 한 (가) 의 장점을 인정했기 때문일 것입니다.

① 공인이 등장하는 계기가 되었다.
② 진대법의 실시에 영향을 끼쳤다.
③ 풍흉에 따라 조세를 차등 수취하였다.
④ 결작이 추가로 징수되는 결과를 가져왔다.
⑤ 문무 관료에게 전지와 시지를 지급하였다.

5 (가), (나) 사건 시기 사이에 있었던 사실로 옳은 것은? [3점]

(가) 며칠 전의 일은 분하고 원통하기 그지없습니다. 일본 선박 한 척이 아무런 장애 없이 영종도에 내려 행패를 부려 600명에 이르는 군사가 부상을 당하는 지경에 이르렀으니 참으로 통탄스러운 일입니다. 병인양요를 거친 뒤로 10년 동안 군사를 늘리고 성벽을 공고히 하였으나 연해를 방어하는 방도는 조금이라도 경솔히 해서는 안 될 것입니다.

(나) 정부는 우편 연합에 가입하려 노력하였다. 우표를 발행하는 등 모든 준비를 완료하고, 이를 즐기고 축하하고자 축하연을 열었다. 연회가 진행되는 동안 민영익이 상처를 입고 비틀거리며 연회장으로 들어왔다. 급진파들이 그가 진보적인 정책에서 뒷걸음질 친다고 생각하여 암살을 시도한 것이다.

① 신민회가 와해되었다.
② 신미양요가 발생하였다.
③ 강화도 조약이 체결되었다.
④ 임술 농민 봉기가 전개되었다.
⑤ 안중근이 이토 히로부미를 처단하였다.

6 다음 글이 작성된 배경을 알아보기 위한 탐구 활동으로 가장 적절한 것은?

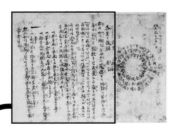

민중이 곳곳에 모여서 말하되 "났네 났어, 난리가 났어." …… 하며 그날이 오기만 기다리더라. …… 결의된 내용은 다음과 같다.
• 고부성을 격파하고 군수를 효수할 것
　　　……

① 원납전 징수가 끼친 영향을 조사한다.
② 조병갑의 농민 수탈 사례를 찾아본다.
③ 대동법 시행을 둘러싼 논쟁을 알아본다.
④ 진골 귀족들이 벌인 왕위 쟁탈 사례를 살펴본다.
⑤ 묘청이 주도한 서경 천도 운동의 과정을 정리한다.

7 다음 공고가 발표된 시기의 상황으로 옳은 것은? [3점]

[21914-0007] ○ △ ✕

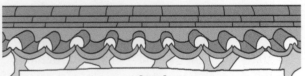

[공고]

국가 총동원법 제4조에 근거하여
오는 10월 1일부터 국민 징용령을 실시한다.
이는 산업 전사로서 산업 부문에 출동하여 가진 바
노력을 산업 부문 혹은 총동원 업무 기타 생산력
확충 방면으로 제공하는 것이다.
총독이 발행한 명령서를 각 도지사가 부윤, 군수를
통하여 전달하면 곧바로 소집령에 응해 지정된 시
일에 지정된 장소로 나와야 한다.

① 지계가 발급되었다.
② 회사령이 제정되었다.
③ 헌병 경찰 제도가 운영되었다.
④ 토지 조사 사업이 실시되었다.
⑤ 황국 신민화 정책이 추진되었다.

8 (가) 운동에 대한 설명으로 옳은 것은?

[21914-0008] ○ △ ✕

▲ 고당 조만식 선생의 묘비

고당 선생 말씀 중에서
……
우리가 만들어서 우리가 쓰자.
모양이나 값에 다소 차이가 있
더라도 조선 물산을 애용해야
된다는 정신으로 우리의 것을
써야 한다. 거기에 비로소 우
리의 살길이 열린다.
1920년 평양에서
(가) 을/를 시작하며

① 독립문 건립을 주도하였다.
② 신분제 폐지를 요구하였다.
③ 고종이 강제 퇴위당한 것을 반대하였다.
④ 러시아의 절영도 조차 요구를 저지하였다.
⑤ 일본 상품 배격, 금주·금연 등을 추진하였다.

9 밑줄 친 '전쟁'의 영향으로 옳지 않은 것은?

[21914-0009] ○ △ ✕

국제 연합군 총사령관을 한쪽 편으로 하고 조선 인민군 최고
사령관 및 중국 인민 지원군 사령관을 다른 쪽으로 하는 아래
의 서명자들은 쌍방에 막대한 고통과 유혈을 초래한 전쟁을 정
지시키기 위하여, 최후적인 평화적 해결이 달성될 때까지 한국
에서의 적대 행위와 일체 무장 행동의 완전한 정지를 보장하는
정전을 확립할 목적으로 아래 조항에 기재된 정전 조건과 규정
을 접수하며, 또 그 제약과 통제를 받는 데 각자 공동 상호 동
의한다. 이 조건과 규정들의 의도는 순전히 군사적 성질에 속
하는 것이며, 이는 오직 한국에서의 교전 쌍방에만 적용한다.

① 이산가족이 발생하였다.
② 남북 간 적대감이 심화되었다.
③ 남북한 독재 체제가 강화되었다.
④ 한미 상호 방위 조약이 체결되었다.
⑤ 제2차 미소 공동 위원회가 결렬되었다.

10 다음 두 대통령 선거 사이에 있었던 사실로 옳은 것은?

[21914-0010] ○ △ ✕

[3점]

〈제1대 대통령 선거 결과〉
(1948)

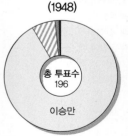
총 투표수
196
이승만

* 총 선거인 수 198, 기권 2
– 중앙 선거 관리 위원회 –

〈제2대 대통령 선거 결과〉
(1952)

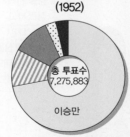
총 투표수
7,275,883
이승만

– 중앙 선거 관리 위원회 –

① 제헌 헌법이 마련되었다.
② 발췌 개헌이 이루어졌다.
③ 5·10 총선거가 치러졌다.
④ 미소 공동 위원회가 개최되었다.
⑤ 대한민국 건국 강령이 발표되었다.

02회 미니모의고사

○ 알고 맞힘 　　/10　△ 헷갈림 　　/10　✕ 모르고 틀림 　　/10

[21914-0011]　○ △ ✕

1 밑줄 친 ㉠ 이후 고조선의 사회 모습으로 옳은 것은?

> 위만이 망명하여 무리 천여 명을 모아 상투를 틀고 오랑캐의 옷을 입고는 동으로 빠져나가, 패수를 건너 진의 옛 요새에 거주하였다. 위만은 점차 진번·조선의 사람들과 연·제 지역으로부터의 망명자들을 복속시켜 ㉠왕이 되고 도읍을 왕검성에 두었다.
>
> – 『사기』 –

① 골품제가 정비되었다.
② 준왕이 나라를 다스렸다.
③ 중계 무역으로 번성하였다.
④ 연의 침입을 받아 영토를 상실하였다.
⑤ 태학, 경당 등의 교육 기관이 설립되었다.

[21914-0012]　○ △ ✕

2 (가)에 들어갈 내용으로 적절한 것은? [3점]

① 신라의 관리 감찰 부서는?
② 정조가 설치한 친위 부대는?
③ 세종이 설치한 학술 연구 기관은?
④ 조선 시대에 왕명 출납을 담당한 부서는?
⑤ 국방 문제를 논의한 고려의 임시 회의 기구는?

[21914-0013] ○ △ ×

3 밑줄 친 '이 국왕'의 업적으로 옳은 것은?

> [역사 속 인물]
> **과학 기술인 〈명예의 전당〉**
> • 장영실은 이 국왕 때 활동했던 인물로 측우기, 자격루, 앙부일구 등을 비롯한 각종 과학 기구와 금속 활자 등의 제작에 참여하였다.
> • 이순지는 조선 초기 우리나라 천문학을 세계적인 수준으로 올려놓은 천문학자로 이 국왕에 의해 천문 역법 사업의 책임자로 발탁되어 평생을 천문 역법 연구에 바쳤다.

① 국학을 설립하였다.
② 경국대전을 반포하였다.
③ 삼강행실도를 편찬하였다.
④ 초계문신제를 실시하였다.
⑤ 최승로의 시무 28조를 수용하였다.

[21914-0014] ○ △ ×

4 (가) 화풍에 대한 설명으로 가장 적절한 것은?

① 정선에 의해 개척되었다.
② 문벌 귀족의 취향을 반영하였다.
③ 조선 초기에 문인들이 주로 그렸다.
④ 사림의 정신 세계가 잘 표현되어 있다.
⑤ 일상적인 생활 모습을 사실적으로 묘사하였다.

[21914-0015] ○ △ ×

5 (가) 화폐에 대한 설명으로 옳은 것은? [3점]

> 백성에게 세금을 가혹하게 거두는 일을 그만두소서. …… 원납전의 징수를 중단하지 못한다면 장차 어느 때에 가서야 그만둘 수 있겠습니까. 또한 (가) 을/를 혁파하는 것입니다. 전하께서 경비가 부족함을 근심하시어 이 돈을 발행한 것은 훌륭한 조치입니다. 그러나 시행한 지 2년 만에 백성들이 편리하다고 여기지 않으며 사·농·공·상이 물가 폭등으로 모두 그 피해를 입었습니다.

① 건원중보라 불렸다.
② 은으로 만든 병 모양의 고가 화폐이다.
③ 은 본위 화폐 제도 시행 시기에 주조되었다.
④ 일본인 재정 고문 메가타의 주도로 만들어졌다.
⑤ 경복궁 중건 비용을 마련하기 위해 발행되었다.

[21914-0016] ○ △ ×

6 (가)에 들어갈 내용으로 가장 적절한 것은? [3점]

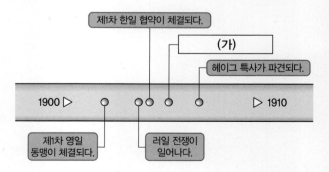

① 을사늑약이 체결되다.
② 강화도 조약이 체결되다.
③ 한국 병합 조약이 체결되다.
④ 한미 상호 방위 조약이 체결되다.
⑤ 조미 수호 통상 조약이 체결되다.

[21914-0017] ○ △ ×

7 다음 자료에 해당하는 민족 운동에 대한 탐구 활동으로 적절한 것은?

조선 총독 하세가와 요시미치는 고종 황제의 장례식장에 나가 식장 배치 상황을 돌아보던 중 사건의 발생 소식을 들었다. 이에 시위 세력을 엄중 처단한다고 발표하고 전국에 배치된 헌병 경찰과 군인들을 동원하여 진압에 나섰다. 질서 있게 행진하는 군중에게 발포가 가해졌으며, 천안군 아우내, 수원군 제암리 등지에서 사상자가 발생하였다. 그리고 주요 인물들을 검거하여 태형을 비롯한 여러 형벌을 가하였다.

① 대한국 국제의 성격을 살펴본다.
② 독립문의 건립 목적을 찾아본다.
③ 서희의 외교 담판 결과를 알아본다.
④ 이만손의 영남 만인소 내용을 분석한다.
⑤ 대한민국 임시 정부 수립의 배경을 조사한다.

[21914-0018] ○ △ ×

8 밑줄 친 '이 운동'에 대한 설명으로 옳은 것은?

조선 총독부가 재작년에 공포된 신교육령에 근거하여 경성 제국 대학 관제를 제정했다고 합니다.

우리 조선 교육회에서 추진하고 있는 이 운동의 열기를 무마시키려는 술책이 아닐까요?

① 김옥균, 박영효 등이 주도하였다.
② 자치 기구인 집강소를 설치하였다.
③ 실력 양성 운동의 일환으로 전개되었다.
④ 일본의 항의로 배상금을 지불하게 되었다.
⑤ 이른바 문화 통치가 실시되는 계기가 되었다.

[21914-0019] ○ △ ×

9 (가) 조직에 대한 설명으로 옳은 것은? [3점]

해방 후, 새 정권이 아직 없는 지금 상태에서 저 여운형이 생각하기에, 가장 필요한 것은 대중을 잘 이끌어 가면서 그 역량을 살리고 잘 육성하여 나가는 일입니다. 이 사명을 띠고 나온 것이 [(가)]입니다. 건국 준비에 가장 필요한 것은 첫째 치안을 유지함이요, 둘째는 모든 건국에 소요되는 힘과 자재와 기구 등을 잘 보관하고 육성하여 새로 탄생되는 국가를 되도록 건전하게 건설하자는 것입니다.

① 충칭에서 창설되었다.
② 좌우 합작의 성격을 띠었다.
③ 독립문의 건립을 주도하였다.
④ 반민족 행위 처벌법에 의해 구성되었다.
⑤ 모스크바 3국 외상 회의에 따라 설치되었다.

[21914-0020] ○ △ ×

10 다음 자료를 활용한 탐구 활동으로 가장 적절한 것은? [3점]

〈원당*의 수입량과 원조량〉

연도	수입량(톤)	원조량(비율, %)
1953	2,576	22.3
1954	21,194	23.4
1955	42,748	30.0
1956	79,261	76.4
1957	50,826	84.0

– 한국은행 조사부, 『경제연감』, 1959 –

* 원당 : 설탕의 원료가 되는 정제하지 않은 당

① 삼백 산업의 발달 과정을 알아본다.
② 산미 증식 계획의 결과를 살펴본다.
③ 제1차 석유 파동의 시기를 찾아본다.
④ 토지 조사령이 제정된 배경을 분석한다.
⑤ 베트남 전쟁의 특수로 인한 영향을 파악한다.

03 회 미니모의고사

○ 알고 맞힘   /10   △ 헷갈림   /10   ✕ 모르고 틀림   /10

[21914-0021] ○ △ ✕

1 (가) 국왕에 대한 설명으로 옳은 것은? [3점]

① 삼국을 통일하였다.
② 동북 9성을 축조하였다.
③ 금관가야를 병합하였다.
④ 한강 유역을 확보하였다.
⑤ 4군 6진 지역을 개척하였다.

[21914-0022] ○ △ ✕

2 (가) 부대에 대한 설명으로 옳은 것은?

> 숙종 9년(1104) 12월에 윤관이 아뢰어 처음으로 [(가)] 을/를 설치하였다. …… 무릇 말을 가진 자는 신기로 삼고, …… 나이 20세 이상인 자로 과거 응시자가 아니면 모두 신보에 속하게 하였으며, …… 군인들을 1년 내내 훈련시켰다. 또 승려를 선발하여 항마군으로 삼았다.
>
> – 『고려사』 –

① 백강 전투에 참여하였다.
② 귀주 대첩을 주도하였다.
③ 4군 6진 지역을 개척하였다.
④ 여진 정벌을 위해 편성되었다.
⑤ 진도와 제주도를 활동 근거지로 삼았다.

3 밑줄 친 '이 사건'이 일어난 배경으로 옳은 것은?

[21914-0023] ○ △ ✕

이 사건은 김종직이 쓴 「조의제문」을 유자광이 문제 삼으면서 일어났다. 그는 「조의제문」이 단종을 몰아내고 왕위에 오른 세조를 비난하는 글이라며 김종직을 대역 죄인으로 다스려야 한다고 주장하였다. 이에 연산군은 김종직을 부관참시하고 그 문집을 불태울 것을 명령하였다.

① 예송의 발생
② 훈구와 사림의 대립
③ 문벌 귀족의 무신 차별
④ 서경 천도 운동의 대두
⑤ 개화파와 위정척사파의 대립

5 (가)에 들어갈 내용으로 적절한 것은? [3점]

[21914-0025] ○ △ ✕

마지막 힌트입니다.

Q 다음 힌트가 공통적으로 가리키는 지명은 무엇일까요?

4단계 힌트	(가)
3단계 힌트	병인양요와 외규장각 도서
2단계 힌트	몽골의 침입을 피한 임시 수도
1단계 힌트	유네스코 세계 유산, 고인돌

① 영국의 불법 점령
② 5·18 민주화 운동
③ 6·25 전쟁과 발췌 개헌
④ 1900년의 대한 제국 칙령 제41호
⑤ 우리나라 최초의 근대적 조약 체결

4 다음 정책을 시행한 국왕에 대한 탐구 활동으로 가장 적절한 것은?

[21914-0024] ○ △ ✕

• 왕 26년 7월, "이제 (군포) 1필을 감하는 정사로 온전히 돌아가야 할 것이니, 1필을 감한 대안을 경들은 잘 강구하라."
• 왕 47년 11월, "(옛 법에 따라 신문고를 다시 설치하고) 신문고의 전면과 후면에 '신문고'라고 세 글자를 써서 모든 백성으로 하여금 알게 하라."

① 평양으로 천도한 목적을 알아본다.
② 순수비가 세워진 지역을 찾아본다.
③ 우산국을 복속시킨 과정을 정리한다.
④ 탕평 정치를 실시한 배경을 파악한다.
⑤ 명과 후금 사이에서 펼친 외교를 살펴본다.

6 밑줄 친 '이 단체'에 대한 설명으로 옳은 것은? [3점]

[21914-0026] ○ △ ✕

이달의 독립운동가

남강 ○○○ 선생

선생은 안창호 등이 조직한 이 단체에 가담하여 평안북도 총감이 되었다. 이 가운데 선생은 이 단체의 식산 흥업의 책임자로 …… 서적의 출판과 공급을 목적으로 태극 서관이라고 하는 서점을 경영하였다. 또한 안창호를 만난 뒤 중등 교육 기관으로 민족 운동의 요람이 된 오산 학교를 개교하여 교장이 되었다.

① 국외에 독립운동 기지를 건설하였다.
② 조선 혁명 선언을 활동 지침으로 삼았다.
③ 비밀 행정 조직으로 연통제를 운영하였다.
④ 일제의 황무지 개간권 요구를 철회시켰다.
⑤ 고종 강제 퇴위 반대 운동을 계기로 해산되었다.

[21914-0027] ○ △ ✕

7 다음 법령이 적용되었던 시기에 볼 수 있던 모습으로 가장 적절한 것은?

제1조 조선 헌병은 치안 유지에 대한 경찰 및 군사 경찰을 담당한다.
제2조 조선 헌병은 육군 대신 관할에 속하며 그 직무 집행에 대해 조선 총독의 지휘, 감독을 받는다. 군사 경찰은 육군 대신 및 해군 대신의 지휘를 받는다.
제3조 헌병 장교, 준사관, 하사, 상등병은 조선 총독이 정하는 바에 따라 재직하면서 경찰관의 직무를 집행할 수 있다.

① 국민학교에 등교하는 학생
② 영선사 파견을 명령하는 국왕
③ 훈련을 받고 있는 별무반 군인
④ 제복에 칼을 차고 수업하는 교원
⑤ 홍경래의 난에 가담하는 광산 노동자

[21914-0028] ○ △ ✕

8 (가) 운동에 대한 설명으로 옳은 것은? [3점]

문자 보급가 공모 결과 입선자 발표

문맹을 퇴치할 목적으로 [(가)]을/를 전개하면서 공모하였던 노래들 중 가작으로 뽑힌 가사를 소개합니다.

출품자 : 이○○

1절 : 배웁시다 / 배웁시다 / 한자라도 / 더알세
(후렴) 아는 것이 / 힘이로다 / 배워야사네
2절 : 기억니은 / 으로부터 / 한자두자 / 배우세
3절 : 힘있게 / 살려거든 / 배워알세 / 글자를

① 언론 기관이 주도하였다.
② 통감부의 방해와 탄압으로 좌절되었다.
③ 대구에서 시작하여 전국으로 확산되었다.
④ '내 살림 내 것으로'라는 구호를 내세웠다.
⑤ 한·일 학생 간의 충돌을 계기로 일어났다.

[21914-0029] ○ △ ✕

9 (가) 회의에 대한 설명으로 옳은 것은? [3점]

신탁 통치 반대 국민 총동원 위원회 성명서

지난 연말에 소련에서 열린 [(가)]의 결의라 하여 우리나라에 신탁 통치제를 실시하고, 5년간 기한부로 독립을 승인하겠다는 소식이 들리자 전 국민은 물 끓듯 반대하였다. 그리고 그 의사 표시로 서울을 비롯하여 지방 각 처와 각 정당, 각 단체, 각 계급 각층이 동일한 애국열에 한데 뭉치어 시위 행진까지 하였던 것이다.

① 5·16 군사 정변 직후 설치되었다.
② 창조파와 개조파의 대립을 가져왔다.
③ 소련이 대일전에 참여할 것을 결정하였다.
④ 미·영·소 3국의 외무 장관이 참여하였다.
⑤ 제1차 세계 대전의 전후 처리를 논의하였다.

[21914-0030] ○ △ ✕

10 다음 우표들이 발행되었던 정부 시기에 있었던 사실로 옳은 것은?

① 개성 공단이 조성되었다.
② 삼백 산업이 등장하였다.
③ 농지 개혁법이 제정되었다.
④ 금융 실명제가 실시되었다.
⑤ 경부 고속 국도(도로)가 개통되었다.

04회 미니모의고사

제한 시간 15분 / 배점 25점

○ 알고 맞힘 /10 △ 헷갈림 /10 ✕ 모르고 틀림 /10

[21914-0031] ○ △ ✕

1 다음 정책을 실시한 국왕에 대한 설명으로 옳은 것은? [3점]

> 나라 안에 일이 많아서 지경을 구획할 겨를이 없었다. 이때에 이르러 하주를 없애고 완산주(전주)를 두고, 거열주를 나누어 청주(강주)를 두어서 비로소 9주를 정비하였다. …… 옛 제도에는 내외관에게 모두 녹읍이 있어서 그 세를 거두어들였으나, 녹을 주는 규례가 없었다. 이때에 이르러 녹읍을 혁파하고 해마다 곡식을 차등 있게 내려 주는 것으로 법식을 삼았다.

① 국학을 설립하였다.
② 금관가야를 병합하였다.
③ 경국대전을 반포하였다.
④ 사심관 제도를 실시하였다.
⑤ 22담로에 왕족을 파견하였다.

[21914-0032] ○ △ ✕

2 (가) 인물에 대한 설명으로 옳은 것은?

> [방송 예고]
>
> **‘ (가) , 묘청 반란을 토벌하는 지휘관이 되다’ 편**
>
> 줄거리 : 1135년, 승려가 난을 일으켜 고려 왕실을 뒤흔든 사건이 발생한다. 이른바 묘청의 서경 천도 운동. 그리고 그 난을 진압할 토벌대의 최선봉에는 개경 세력인 (가) 이/가 나서는데 ……

① 화백 회의에 참여하였다.
② 성리학을 고려에 소개하였다.
③ 호란이 일어나자 의병을 일으켰다.
④ 금과의 전쟁을 피하자고 주장하였다.
⑤ 반계수록을 통해 균전론을 주장하였다.

[21914-0033] ○ △ ✕

3 다음 제도에 대한 설명으로 옳은 것은?

> 6조는 각기 모든 직무를 먼저 의정부에 보고하고, 의정부는 가부를 헤아린 뒤에 국왕에게 아뢰어 재가를 받아 6조에 내려보내어 시행한다. 다만, 이조·병조의 관리 임명, 병조의 군사 업무, 형조의 사형수를 제외한 판결 등은 종래와 같이 각 조에서 직접 아뢰어 시행하고 곧바로 의정부에 보고한다.

① 6두품으로부터 비판을 받았다.
② 의정부의 권한 약화를 초래하였다.
③ 왕권과 신권의 조화에 기여하였다.
④ 진골 귀족 세력의 주도로 운영되었다.
⑤ 문벌 귀족 사회의 성립에 영향을 끼쳤다.

[21914-0034] ○ △ ✕

4 밑줄 친 '국왕'에 대한 설명으로 옳은 것은? [3점]

> • 국왕께서 춘당대에 나아가 장용영의 훈련을 실시하였다. 장용영의 기병 1초(哨)와 초군 7초를 좌우로 나누어 춘당대 아래 배치하고 장용위는 어가(御駕)의 전후에 시위하고 깃대와 북을 벌여 놓았다.
> • 국왕께서 규장각을 창덕궁 금원의 북쪽에 세우고 제학·직제학·직각·대교 등의 관원을 두었다.

① 균역법을 마련하였다.
② 반정을 통해 즉위하였다.
③ 초계문신제를 시행하였다.
④ 노비안검법을 실시하였다.
⑤ 전민변정도감을 설치하였다.

[21914-0035] ○ △ ✕

5 (가)에 들어갈 활동 내용을 뒷받침하는 주장으로 가장 적절한 것은? [3점]

〈위정척사 운동의 전개〉	
시기	**배경 및 활동**
18△△년대	• 배경 : 서양 열강의 통상 요구 • 활동 : 척화 주전론 주장, 통상 반대 운동
18□□년대	• 배경 : 강화도 조약의 체결 • 활동 : (가)
18▽▽년대	• 배경 : 정부의 개화 정책 추진 • 활동 : 미국과의 수교 반대(영남 만인소)

① 을사늑약을 폐기하라.
② 일본도 서양 세력과 같다.
③ 청에 항복해서는 안 된다.
④ 조선책략을 불태워야 한다.
⑤ 국모를 시해한 원수를 갚자.

[21914-0036] ○ △ ✕

6 다음 사건들이 일어난 당시에 볼 수 있던 모습으로 적절한 것은?

1월 3일	민긍호·이인영·정환하·신돌석·오영환 의병 부대 1,300여 명, 강원도 양구에서 일본군과 교전
1월 10일	홍범도·차도선 의병 부대 200여 명, 갑산 수비 분견소와 갑산 우편 전신 취급소 공격
1월 21일	전 시위대 관리였던 현덕호 의병 부대 300여 명, 장단에서 일본군과 교전
1월 29일	13도 연합 의병, 서울 진공 작전 개시, 동대문 밖 30리 지점 수택리에서 일본군과 격전

① 집강소를 운영하는 동학 농민군 지도자
② 신식 군사 훈련을 지휘하는 별기군 교관
③ 대한 제국의 내정을 간섭하는 일본인 통감
④ 일본의 근대 문물을 둘러보는 조사 시찰단
⑤ 흥선 대원군의 명에 따라 서원을 철폐하는 관리

7 [21914-0037] ○ △ ✕
(가)에 대한 설명으로 옳은 것은?

> (가) 은/는 조선 총독부가 시작 때부터 1918년까지 약 2,000만 엔이라는 거액을 들여 진행하였다. 그리고 신고주의에 기초하여 토지 소유권을 확립한다는 명분을 들어 납세자들을 분명히 파악하려 하였다. 그러나 기존의 토지에 대한 관습적 경작권을 보호받아 왔던 한국인 소작농의 입지를 약화시키는 문제를 낳았다.

① 전민변정도감의 주도로 추진되었다.
② 농광 회사가 설립되는 배경이 되었다.
③ 문무 관리에게 전지와 시지를 지급하였다.
④ 조선 총독부의 지세 수입 증가를 가져왔다.
⑤ 공인이라는 상인이 출현하는 계기가 되었다.

8 [21914-0038] ○ △ ✕
다음 사건이 있었던 시기를 연표에서 옳게 고른 것은? [3점]

> 오랫동안 맹렬히 싸워 온 암태도 소작 문제는 최근 일단락을 짓게 되었다. 소작인 대표 박복영과 광주 노동회 간부 서정희, 그리고 전남 경찰 고등과장과 목포 경찰서장의 극적인 조정이 있었다. 결국 문재철은 소작인회의 요구인 소작료 40%를 승낙하는 동시에 이천 원을 소작인회에 기부하기로 하였다.

(가)	(나)	(다)	(라)	(마)
강화도 조약 체결	대한 제국 성립	국권 피탈	3·1 운동	중일 전쟁 발발	8·15 광복

① (가)   ② (나)   ③ (다)   ④ (라)   ⑤ (마)

9 [21914-0039] ○ △ ✕
밑줄 친 '이 헌법'의 내용으로 옳은 것은?

> 우리들 대한 국민은 기미 3·1 운동으로 대한민국을 건립하여 세계에 선포한 위대한 독립 정신을 계승하여, 민주 독립 국가를 재건함에 있어 …… 자유로이 선거된 대표로서 구성된 국회에서 단기 4281년 7월 12일 이 헌법을 제정한다.
> 제1조   대한민국은 민주 공화국이다.
> 제2조   대한민국의 주권은 국민에게 있고 모든 권력은 국민으로부터 나온다.

① 내각 책임제를 채택한다.
② 국회를 양원제로 구성한다.
③ 대통령을 국회에서 선출한다.
④ 대통령의 임기는 7년으로 한다.
⑤ 대통령의 3회 연임을 허용한다.

10 [21914-0040] ○ △ ✕
밑줄 친 '시위'가 일어난 시기의 경제 상황으로 가장 적절한 것은? [3점]

> **아름다운 청년 전태일이 걸어온 길**
>
>
> ▲ 전태일 동상
>
> …… '삼동 친목회'를 만들어 서울 시청, 노동청, 신문사를 찾아다니며 근로 조건 개선을 위해 노력하였으나, 번번이 노동청을 비롯한 관계 당국 및 평화 시장 업주들이 약속을 이행하지 않자 시위를 계획하였다. 평화 시장 옆길에서 '우리는 기계가 아니다!', '근로 기준법을 준수하라!'라고 외치며 분신 항거하였다.

① 6월 민주 항쟁 이후 노동 운동이 활발해졌다.
② 노동력의 수탈을 위해 국민 징용령이 실시되었다.
③ 대외 경제 교류 확대를 위해 합영법이 제정되었다.
④ 노동 집약적인 경공업 육성으로 수출이 증가하였다.
⑤ 평등 사회 실현을 추구하며 형평 운동이 전개되었다.

05회 미니모의고사

○ 알고 맞힘 ◎◎◎◎◎◎ /10 △ 헷갈림 ◎◎◎◎◎◎ /10 ✕ 모르고 틀림 ◎◎◎◎◎◎ /10

[21914-0041] ○ △ ✕

1 (가) 국가에 대한 설명으로 옳은 것은?

동모산 부근에서 건국된 ⬚(가)⬚ 이/가 당의 지방 정권에 불과하였다는 중국의 주장을 반박해 보세요.

⬚(가)⬚ 인들이 당의 빈공과에 급제하였던 사실은 당이 이들을 외국인으로 생각하였기 때문입니다.

인안, 대흥 등의 독자적인 연호를 사용하였다는 것은 자주성과 독립성을 가진 국가였음을 보여줍니다.

① 고구려 계승을 표방하였다.
② 안시성 전투에서 당군을 물리쳤다.
③ 왜구의 소굴인 대마도를 정벌하였다.
④ 나당 연합군의 공격으로 멸망하였다.
⑤ 9주 5소경의 지방 행정 조직을 운영하였다.

[21914-0042] ○ △ ✕

2 다음 봉기가 발생하게 된 배경에 대한 탐구 주제로 가장 적절한 것은? [3점]

> • 공주 명학소의 망이와 망소이 등이 그 무리를 모아 공주를 공격하여 함락시켰다. 정부에서 채원부와 박강수 등을 보내 타일렀으나 적이 따르지 않았다. 2월에 장사 3,000명을 불러 모으고 대장군과 장군 등에게 명하여 토벌하게 하였다.
> • 남쪽 지방에서 반란군이 벌 떼처럼 일어났다. …… 김사미가 운문을 근거지로, 효심이 초전을 근거지로 삼아서 떠도는 자들을 불러 모아 주현을 약탈하였다.

① 방납의 폐단
② 붕당 정치의 변질
③ 동학의 확산과 정부의 탄압
④ 세도 정치의 전개와 삼정의 문란
⑤ 무신 정권기 지배 체제의 동요와 수탈

[21914-0043] ○ △ ✕

3 (가) 전쟁에 대한 설명으로 옳은 것은? [3점]

특별전에 여러분을 초대합니다

이번 특별전에서는 [(가)] 당시 남한산성 수어사로 힘써 싸운 이시백 장군의 초상화와 척화론을 펴다 순절한 3인(홍익한, 오달제, 윤집)의 언행을 기록한 『삼학사전』을 전시하였습니다. 또한 삼전도비에 얽힌 이야기들도 만날 수 있습니다.

▲ 남한산성   ▲ 삼전도비

· 기간 : 2021년 ○○월 ○○일 ~ ○○월 ○○일
· 장소 : ○○박물관 기획 전시실

① 강감찬이 귀주에서 대승을 거두었다.
② 명이 조선을 돕기 위해 지원군을 보냈다.
③ 조선이 청에 항복하고 군신 관계를 맺었다.
④ 연개소문이 정변을 일으켜 권력을 장악하였다.
⑤ 삼별초가 진도와 제주도를 근거지로 항전하였다.

[21914-0044] ○ △ ✕

4 (가)에 들어갈 내용으로 가장 적절한 것은? [3점]

[그림으로 배우는 한국사]

위 그림은 김홍도가 그린 대장간의 모습이다. 조선 후기에는 수공업자들이 자유롭게 물품을 생산하는 민영 수공업이 발달하였다. 이에 수공업의 원료인 광산물의 수요가 늘어났고, 청과의 무역이 확대되면서 [(가)]. 이러한 사실을 배경으로 정부는 민간인에게 광산 채굴을 허용하여 민영 광산이 발달하였다.

① 광작이 보급되었다
② 은의 수요가 늘었다
③ 금난전권이 폐지되었다
④ 상품 작물이 재배되었다
⑤ 은본위 화폐제가 실시되었다

[21914-0045] ○ △ ✕

5 (가)에 대한 설명으로 옳은 것은?

사진의 군인들은 개화 정책이 추진되던 중인 1881년에 창설된 [(가)]에 속하였다. 이들은 구식 군대보다 좋은 대우를 받았으며 일본인 교관에게 훈련을 받았다.

① 임오군란으로 폐지되었다.
② 5군영의 하나로 창설되었다.
③ 해산된 뒤 정미의병에 가담하였다.
④ 동학 농민 운동 진압에 동원되었다.
⑤ 병인양요와 신미양요 때 활약하였다.

[21914-0046] ○ △ ✕

6 (가)에 들어갈 내용으로 적절한 것은?

수행 평가 보고서

· 주제 : [(가)   ]
· 수집 자료
 – 경강상인이 일본 상인과 경쟁하기 위해 구입한 증기선 관련 자료
 – 대동 상회, 장통 상회 등 여러 상회사의 설립 과정과 활동 내용 자료
 – 황국 중앙 총상회의 주요 활동 자료

① 방납의 폐단과 대동법 실시
② 원 간섭기 물자와 공녀의 유출
③ 국가 총동원법 공포와 자원 수탈
④ 세도 정치 시기 삼정의 문란 심화
⑤ 개항 이후 조선 상인의 상권 수호 운동

7 다음 기사가 작성된 당시에 있었던 사실로 옳은 것은? [3점]

[21914-0047] ○ △ ✕

○○신문

관세 철폐가 상공업계에 미치는 영향

3년 전 회사령이 폐지된 이후, 지난 4월 1일부터는 일본 상품에 대한 관세가 폐지되었다.

▶ 양말류   고무신의 수요 증가에 따라 양말의 사용이 현저히 증가하고 있어 제조업자가 늘어났다. 그러나 제조업자의 다수는 소자본을 가지고 가정 공업의 모습을 면하지 못하고 있는 상태일 뿐만 아니라 기술 또한 미숙하다. 뛰어난 기술과 대량 생산으로 만들어진 일본 상품에 대항할 여력이 없는 상황에서 조선의 제조업자들이 관세 철폐로 인해 큰 타격을 받을 것으로 예상된다.

① 지계가 발급되었다.
② 산미 증식 계획이 시행되었다.
③ 군국기무처가 개혁을 주도하였다.
④ 고종의 황제 즉위식이 거행되었다.
⑤ 영국이 거문도를 불법으로 점령하였다.

8 (가) 단체에 대한 설명으로 옳은 것은? [3점]

[21914-0048] ○ △ ✕

판결문

• 주문 : 피고 허헌, 이관용, 홍명희를 각각 징역 1년 6월에 처한다.
• 이유 :
피고 허헌은   (가)   의 중앙 집행 위원장으로, 피고 이관용 · 홍명희 등은 중앙 집행 위원으로 활동하였다. 원래   (가)   은/는 '정치적 · 경제적 각성을 촉진함.', '단결을 공고히 함.', '기회주의를 일체 부인함.'이란 강령을 내걸고 조직한 합법 단체임에도, 그 이면에 있어서는 현 정치에 대하여 치열한 불만과 민족 자결의 견고한 사상을 품고 활약하고 있었다. …… 그리하여 피고 등은 정치에 관한 불온한 언론 공작으로써 치안을 방해하였다.

① 진단 학보를 발간하였다.
② 관민 공동회를 개최하였다.
③ 연통제와 교통국을 조직하였다.
④ 오산 학교와 대성 학교를 설립하였다.
⑤ 광주 학생 항일 운동에 진상 조사단을 파견하였다.

9 다음 결의문이 나온 배경으로 옳은 것은?

[21914-0049] ○ △ ✕

유엔 안전 보장 이사회 결의문 제82호

1. 분쟁의 즉시 중지를 요구하며 북한 당국에 대하여 그 군대를 38선까지 철퇴할 것을 요구한다.
2. 유엔 한국위원회에 대해 다음과 같이 요청한다.
   ㄱ. 해당 사태에 관하여 가능한 한 조속히 충분히 고려한 건의를 전달할 것
   ㄴ. 북한군의 38선으로 철퇴를 감시할 것
   ㄷ. 이 결의의 실시에 관하여 안보리에 상시 보고할 것
3. 전 회원국은 이 결의의 실시에 있어서 유엔에 모든 원조를 제공하며 북한 당국에 대해 원조를 행하지 말 것을 요청한다.

① 남북 협상 추진
② 외환 위기 시작
③ 6 · 25 전쟁 발발
④ 10 · 26 사태 발생
⑤ 베트남 파병 실시

10 다음 자료에 나타난 운동에 대한 설명으로 옳은 것은?

[21914-0050] ○ △ ✕

지방을 다니면서 보면 어떤 부락, 어떤 농촌은 몇 년 전에는 기와집이 한 채도 없었던 동네가 최근에 보면 거의 기와로 다 이어졌거나 기와를 이지 못한 집도 작년 가을에 추수한 볏짚을 가지고 깨끗하게 이어서 처마를 하고 담장도 깨끗이 하고 담 위에도 짚으로 담 지붕을 이고 퇴비장도 알맞은 장소에 알뜰히 해 놓았고, 동네 전체를 보면 부락 앞에 있는 논은 대부분이 경지 정리를 해 놓았고, 또 농로가 자로 쭉 그어 놓은 것처럼 꼿꼿하게 되어 있어 그 정도면 자동차도 충분히 들어갈 수 있게 되어 있습니다. …… 그 운동을 '새마을 가꾸기 운동'이라고 해도 좋고 '알뜰한 마을 가꾸기'라고 해도 좋을 것입니다.

① 농촌 환경 개선에 기여하였다.
② 지주제 개혁을 목적으로 하였다.
③ 전두환 정부 시기에 시작되었다.
④ 토지 조사령 제정으로 이어졌다.
⑤ 미곡 공출제가 시행되는 상황에서 진행되었다.

06회 미니모의고사

제한 시간 15분 / 배점 25점

EBS 수능특강 **Q** 미니모의고사 **한국사**

○ 알고 맞힘 ____ /10   △ 헷갈림 ____ /10   ✕ 모르고 틀림 ____ /10

[21914-0051] ○ △ ✕

1 다음 문화유산을 남긴 국가에 대한 설명으로 옳은 것은?

▲ 고령 지산동 고분
출토 토기

▲ 김해 퇴래리
출토 판갑옷

① 우산국을 정복하였다.

② 원에서 성리학을 수용하였다.

③ 낙랑과 왜에 철을 수출하였다.

④ 발해가 멸망한 후 유민을 포용하였다.

⑤ 인안, 대흥 등의 독자적 연호를 사용하였다.

[21914-0052] ○ △ ✕

2 (가)의 침입 시기에 있었던 사실로 옳은 것은? [3점]

▲ 처인성 전투 기록화

이 그림은 김윤후와 처인 부곡민이 ____(가)____ 의 침입에 대항하여 싸운 전투를 상상하여 그린 것이다. 이 전투를 이끌었던 김윤후는 일찍이 스님이 되어 백현원에 있었다. 그는 ____(가)____ 의 군대가 침입하자 처인성으로 피란하였는데, 적장 살리타가 성을 공격하자 처인 부곡민과 함께 맞서 싸웠다.

① 천리장성이 축조되었다.

② 4군 6진 지역이 개척되었다.

③ 팔만대장경판이 제작되었다.

④ 서희가 적장과 외교 담판을 벌였다.

⑤ 소총으로 무장한 별기군이 창설되었다.

[21914-0053] ○ △ ✕

3 밑줄 친 '이 국왕'의 재위 시기에 있었던 사실로 옳은 것은?

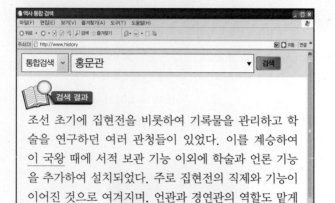

조선 초기에 집현전을 비롯하여 기록물을 관리하고 학술을 연구하던 여러 관청들이 있었다. 이를 계승하여 이 국왕 때에 서적 보관 기능 이외에 학술과 언론 기능을 추가하여 설치되었다. 주로 집현전의 직제와 기능이 이어진 것으로 여겨지며, 언관과 경연관의 역할도 맡게 되었다.

① 경국대전이 반포되었다.
② 4군 6진 지역이 개척되었다.
③ 22담로에 왕족이 파견되었다.
④ 은병(활구)이 주조되어 유통되었다.
⑤ 국경 지역에 천리장성이 축조되었다.

[21914-0054] ○ △ ✕

4 밑줄 친 '이 시기'의 문화에 대한 설명으로 옳은 것은? [3점]

〈수행 평가 보고서〉

• 조사 주제 : ○○ ○○의 회화
• 조사 내용 : 서민층이 새로운 문화의 주체로 성장하면서 유행한 풍속화, 민화 등을 살펴봄으로써 이 시기에 나타난 다양한 문예 경향의 특징을 파악한다.
• 대표적인 그림

▲ 풍속화(「서당」)

▲ 민화(「까치와 호랑이」)

① 고려청자가 유행하였다.
② 불상 제작을 시작하였다.
③ 한글 소설이 널리 읽혔다.
④ 돌무지덧널무덤이 성행하였다.
⑤ 개성 경천사지 10층 석탑이 만들어졌다.

[21914-0055] ○ △ ✕

5 다음 주장이 제기된 시기를 연표에서 옳게 고른 것은? [3점]

오직 중립 한 가지만이 진실로 우리나라를 지키는 방책이다. …… 중국이 맹주가 되어 영국·프랑스·일본·러시아 등 아시아에 관계있는 여러 나라와 회합하고, 이 자리에 우리나라를 보내어 함께 중립 조약을 체결하도록 해야 할 것이다. 이것은 비단 우리나라만을 위한 것이 아니라 중국에도 이익이 될 것이고 여러 나라가 서로 보존하는 대책도 될 것인데, 어찌 근심만 하면서 이를 행하지 않는가.

– 「유길준 전서」 –

1863		1871		1882		1895		1910		1926
	(가)		(나)		(다)		(라)		(마)	
고종 즉위		신미양요		임오군란		을미사변		국권 피탈		6·10 만세 운동

① (가) ② (나) ③ (다) ④ (라) ⑤ (마)

[21914-0056] ○ △ ✕

6 다음 규칙이 발표된 배경으로 가장 적절한 것은? [3점]

학부에서 한성 사범 학교 관제에 의거하여 한성 사범 학교 규칙을 발표하니 그 내용은 다음과 같다.

1관 총칙
제1조　한성 사범 학교는 교원에 활용할 학생을 양성한다.
제2조　한성 사범 학교의 졸업생은 소학교 교원되는 자격이 있다.

2관 학과 및 정도
제3조　한성 사범 학교 본과 학생이 수학할 학과목은 수신·교육·국문·한문·역사·지리·수학·물리·화학·박물·습자·작문·체조로 한다.
제4조　한성 사범 학교 본과 학생의 수업 연한은 2개년으로 한다.

① 대한국 국제가 제정되었다.
② 만민 공동회가 개최되었다.
③ 교육입국 조서가 반포되었다.
④ 문자 보급 운동이 전개되었다.
⑤ 민립 대학 설립 운동이 추진되었다.

7 밑줄 친 '회의'가 개최된 배경으로 옳은 것은?

> 제목 : 회의 분쟁의 건
>
> 발신 : 상하이 총영사 후나츠
> 수신 : 일본 외무대신 우치다
>
> 상하이에서 조선인들이 개최한 회의에서 개조파, 창조파, 유지파 분쟁에 대해 다음과 같은 정보가 있었으므로 참고하시기 바랍니다.
> 회의는 개조파와 창조파의 주장에 의해 대통령 불신임 문제를 가결시킨 것은 이미 보고한 바와 같음. 그 후 개조파는 현 정부의 개선을 주장하고, 창조파는 임시 정부 불신임을 주장하는 동시에 …… 회의는 해산 상태에 있음.

① 김구의 남북 협상
② 임병찬의 독립 의군부 조직
③ 윤봉길의 훙커우 공원 의거
④ 안중근의 이토 히로부미 저격
⑤ 이승만의 위임 통치 청원서 제출

8 밑줄 친 '이 운동'에서 제기된 주장으로 가장 적절한 것은?
[3점]

> 아무리 수백 년간을 굴복하여 노예의 대우를 받던 백정이라도 피가 있고 눈물이 있는 인류인 이상에 어찌 인도상에 허락지 못할 학대를 영구히 감수하리오. 하물며 시대의 풍조와 주위의 사정이 그들을 충동하고 자극함이랴. 작년 4월에 진주에서 일어난 이 운동은 백정들의 쌓인 불평을 절규하는 첫걸음이었다. …… 당초 진주 한 곳에 머물렀던 것이 불과 1년 만에 전국에 널리 퍼져 회원이 17만에 달하고, 지역 분사가 120여 처에 달한 것을 보면 이 운동의 잠재력이 어떠한지를 알 것이다.
>
> – 『개벽』 –

① 단발령을 철회하라.
② 굴욕적 대일 외교 반대한다.
③ 공·사노비 제도를 폐지하라.
④ 계급을 타파하고 모욕적 칭호를 폐지하라.
⑤ 좌우 합작으로 민주주의 임시 정부 수립하자.

9 다음 성명이 발표된 배경으로 적절한 것은?

> 나는 (중도 세력인) 김규식 박사와 여운형 씨가 남한에 있는 중요 정당 간에 전보다 더 협동과 통일을 위해 진력하시는 것과 그 노력의 진전이 있다는 보고를 매우 흥미 있게 보고 있습니다. 진정한 통일과 성실한 협력은 한국인 지도자들이 인류 4대 자유의 윤곽 내에서 활동하고 노력하는 것으로만 완성되리라고 믿습니다.
>
> – 미군 중장 하지의 성명 –

① 대한국 국제가 공포되었다.
② 좌우 합작 운동이 추진되었다.
③ 갑오·을미개혁이 실시되었다.
④ 대한민국 건국 강령이 발표되었다.
⑤ 상하이에서 국민 대표 회의가 개최되었다.

10 다음 상황이 나타난 배경으로 적절한 것은?

> 정부는 국제 통화 기금(IMF)에 새해 3%의 저성장을 감수하기로 약속하였다. 소비자 물가 상승률은 5%, 경상 수지 적자는 23억 달러로 줄이기로 합의하였다. …… IMF 관리 체제에 들어가면서 국책 연구소들은 새해 경제 전망을 내놓지 않은 채 침묵하고 있다. IMF는 앞으로 2~5% 선의 저성장을 한 뒤 2년 뒤인 2000년에 가서야 잠재 성장률 6%대를 회복할 것으로 내다봤다.

① 삼백 산업이 등장하였다.
② 외환 위기가 발생하였다.
③ 화폐 정리 사업이 시행되었다.
④ 베트남 전쟁에 병력을 파견하였다.
⑤ 경제 개발 5개년 계획이 시작되었다.

07회 미니모의고사

O 알고 맞힘 /10 △ 헷갈림 /10 ✕ 모르고 틀림 /10

[21914-0061] O △ ✕

1 (가)에 들어갈 유물로 옳은 것은?

한국사 유물 모형

**"족장님의 필수품"
이제 직접 만들어 봅시다!**

(가)

실제 이 도구를 만드는 작업은 매우 까다롭습니다. 구리와 주석 등을 1,000도까지 가열해서 액체로 만든 다음 거푸집에 부어 식혀야 합니다. 그래서 지배자의 무덤인 고인돌에서 함께 발견되기도 합니다.
현악기를 닮아 그 이름이 붙여졌다는 족장의 필수품, 이제 함께 만들어볼까요?

①   ②   ③

④   ⑤

[21914-0062] O △ ✕

2 다음 상황이 나타난 시기에 볼 수 있던 모습으로 가장 적절한 것은? [3점]

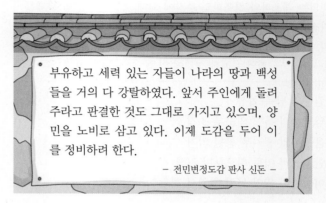

부유하고 세력 있는 자들이 나라의 땅과 백성들을 거의 다 강탈하였다. 앞서 주인에게 돌려주라고 판결한 것도 그대로 가지고 있으며, 양민을 노비로 삼고 있다. 이제 도감을 두어 이를 정비하려 한다.

– 전민변정도감 판사 신돈 –

① 유교 경전을 읽는 6두품
② 훈구의 비리를 비판하는 사림
③ 음서로 관직에 진출한 권문세족
④ 녹읍 폐지에 반발하는 진골 귀족
⑤ 정변을 일으켜 권력을 장악한 무신

08회 미니모의고사

제한 시간 15분 / 배점 25점

EBS 수능특강 **Q** 미니모의고사 **한국사**

○ 알고 맞힘 /10 △ 헷갈림 /10 ✕ 모르고 틀림 /10

[21914-0071] ○ △ ✕

1 (가) 국가에 대한 설명으로 옳은 것은?

> • (가) 은/는 남쪽으로는 고구려, 동쪽으로는 읍루, 서쪽으로는 선비와 접하며, 북쪽에는 약수가 있다.
> • (가) 에는 군왕이 있고 벼슬 이름을 가축 이름으로 부르고 있다. 여러 족장이 사출도를 나누어 맡는다.

① 화백 회의를 운영하였다.
② 사심관 제도를 실시하였다.
③ 단군왕검에 의해 건국되었다.
④ 영고라는 제천 행사를 거행하였다.
⑤ 함경도 동해안 지역에 위치하였다.

[21914-0072] ○ △ ✕

2 다음 자료에 나타난 시기에 볼 수 있던 모습으로 적절한 것은? [3점]

> 아침에 비가 그쳤다. 조류를 따라 예성항에 이르자 …… 만여 명 정도 되는 사람들이 병기·갑옷을 입힌 말·깃발 등을 가지고 해안가에 차례로 늘어서 있고 구경꾼이 담장처럼 서 있었다. 배가 해안에 이르자 관리들이 송 황제의 조서를 채색 가마에 받들어 모셨다. …… 벽란정으로 들어가서 조서를 봉안하는 일이 끝나자 자리를 나누어 잠시 쉬었다. 다음 날 육로를 따라 궁궐로 들어갔다.

① 농사직설 편찬에 참여하는 학자
② 상평통보로 세금을 납부하는 농민
③ 산둥반도의 발해관에 머물고 있는 사신
④ 의주를 거점으로 무역 활동을 하는 만상
⑤ 아라비아 상인이 가져온 향신료를 사용하는 귀족

[21914-0073] ○ △ ✕

3 (가)에 대한 설명으로 옳은 것은? [3점]

> 조선은 한양으로 천도하면서 종로 거리에 상점가를 만들었다.
> 그중 비단, 무명, 명주, 종이, 모시, 어물을 파는 점포가 가장
> 번성하였는데, 후에 이를 육의전이라 하였다. 이곳에서 장사하
> 는 상인을 [(가)](이)라고 하는데, 이들은 정부에 점포세
> 와 상세를 납부하고 왕실이나 관청에 물품을 공급하는 의무를
> 졌다.

① 조선 형평사를 결성하였다.
② 대동법 실시를 계기로 등장하였다.
③ 관청에 소속되어 물품을 제작하였다.
④ 장시를 하나의 유통망으로 연계시켰다.
⑤ 특정 상품에 대한 독점 판매권을 갖고 있었다.

[21914-0074] ○ △ ✕

4 다음 모습을 볼 수 있던 시기의 문예 경향으로 적절한 것은?
[3점]

> 다른 때보다 적게 모인 걸 보니, 오늘은 국왕의 화성 행차를 구경하러
> 간 사람들이 많은가 보오. 지난번에 이어 이야기를 계속하겠소. 춘향의
> 모 기가 막혀 "이게 웬일이오." 하였더니, 몽룡이가 "그때 올라가서 벼
> 슬길 끊어지고 가진 재산 탕진했소." 하더이다.

▲ 전기수가 운종가에서 책 읽어주는 모습

① 풍속화가 유행하였다.
② 상감 청자가 발달하였다.
③ 무용총에 벽화가 그려졌다.
④ 안동 봉정사 극락전이 지어졌다.
⑤ 경주 불국사 3층 석탑이 세워졌다.

[21914-0075] ○ △ ✕

5 밑줄 친 '그'에 대한 설명으로 옳은 것은?

> 이달의 인물
>
> **조병갑의 학정, 이대로 둘 수는 없다!**
>
>
>
> 그는 조병갑의 학정을 바로
> 잡고자 농민들과 함께 관아
> 를 습격하고, 수탈의 상징인
> 만석보를 허물고 군수를 몰
> 아냈다. 정부가 박원명을 새
> 로운 군수로 임명하고 회유하자 농민들은 자진
> 해산하였다. 그러나 사건 조사를 위해 파견된 안
> 핵사가 봉기 참여자를 탄압하자 그는 무장에서
> 재봉기하였다.

① 독립 협회를 창립하였다.
② 독립 의군부를 조직하였다.
③ 고부 농민 봉기를 주도하였다.
④ 청에 복수하자는 북벌 운동을 추진하였다.
⑤ 신미양요 당시 광성보에서 미군에 대항하였다.

[21914-0076] ○ △ ✕

6 다음과 같은 주장에 동조하여 전개하였던 활동의 사례로 가
장 적절한 것은?

> • 진심으로 국권을 만회하고자 한다면 눈앞의 치욕을 참고 국
> 가의 원대한 계획을 도모하여 일체 병기를 버리고 각자 고향
> 으로 돌아가 …… 실력을 양성하면 다른 날에 독립을 회복할
> 기회를 자연히 기약할 수 있을 것이다.
> – 황성신문 –
>
> • 기회가 없어도 성공하기 어렵고 실력이 없어도 성공하기 어
> 려우나, 오직 실력이 먼저이니라.
> – 대한매일신보 –

① 을사늑약 체결에 항거하여 자결하였다.
② 조선책략의 유포에 반발하여 상소하였다.
③ 신돌석이 이끄는 의병 부대에 가담하였다.
④ 학교를 설립하여 민족 교육을 실시하였다.
⑤ 의열단원이 되어 식민 통치 기관에 폭탄을 던졌다.

7 밑줄 친 '이 법령'이 적용되던 시기에 있었던 사실로 옳은 것은? [3점]

일제는 태형을 적용할 수 있는 이 법령을 제정하여 한국인을 탄압하였어.

특히 헌병 경찰에 의해 자행되었던 태형은 공포의 대상이었어. 태형을 받아 다치거나 사망하는 경우도 있었어.

① 광무개혁이 진행되었다.
② 치안 유지법이 제정되었다.
③ 토지 조사 사업이 추진되었다.
④ 조선어 학회 사건이 일어났다.
⑤ 황국 신민 서사 암송이 강요되었다.

8 다음 사건의 전개 과정에 추가될 수 있는 사실로 옳은 것은?

> 1929. 10. 나주역에서 한·일 학생 간의 충돌 사건 발생
> 1929. 11. 광주 지역 학생들의 대규모 가두 시위 전개
>   광주 시민들의 합세로 발전
>   일본 경찰의 한국인 학생 검거 및 구속

① 대한민국 임시 정부의 수립
② 화성의 제암리 학살 사건 발발
③ 신간회의 후원으로 전국에 확산
④ 순종의 장례일에 만세 시위 전개
⑤ 민족 대표들이 태화관에서 독립 선언식 거행

9 (가) 민주화 운동에 대한 설명으로 옳은 것은?

[(가)] 당시 초등학생들의 시위 모습이다. 3·15 부정 선거를 규탄하는 시위에 참여한 학생과 시민들이 많은 희생을 당하자 초등학생들도 이를 규탄하는 시위를 전개하였다.

① 대통령의 하야를 이끌어 냈다.
② 대통령 직선제 개헌을 요구하였다.
③ 긴급 조치권에 의해 탄압을 받았다.
④ 유신 체제의 붕괴 직후에 발생하였다.
⑤ 박종철 고문치사 사건을 배경으로 일어났다.

10 (가)에 들어갈 내용으로 적절한 것은? [3점]

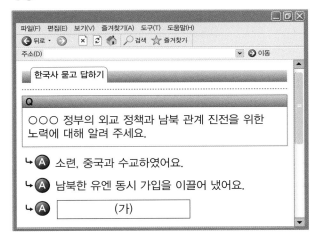

한국사 묻고 답하기

Q ○○○ 정부의 외교 정책과 남북 관계 진전을 위한 노력에 대해 알려 주세요.

↳ **A** 소련, 중국과 수교하였어요.

↳ **A** 남북한 유엔 동시 가입을 이끌어 냈어요.

↳ **A** [(가)]

① 개성 공단 건설이 추진되었어요.
② 파리 강화 회의에 참여하였어요.
③ 남북 기본 합의서를 채택하였어요.
④ 통일 주체 국민 회의를 설치하였어요.
⑤ 제2차 남북 정상 회담을 개최하였어요.

09회 미니모의고사

제한 시간 15분 / 배점 25점

EBS 수능특강 Q 미니모의고사 한국사

○ 알고 맞힘 /10 △ 헷갈림 /10 ✕ 모르고 틀림 /10

[21914-0081] ○ △ ✕

1 (가) 나라에 대한 설명으로 옳은 것은?

> 한(韓)은 대방의 남쪽에 있는데, 동쪽과 서쪽은 바다로 경계를 삼고 남쪽은 왜(倭)와 접경하니, 면적이 사방 4천 리쯤 된다. (한에는) 세 종족이 있는데, 하나는 마한, 둘째는 진한, 셋째는 (가) 이다. …… 나라마다 각각 장수(長帥)가 있어서, 세력이 강대한 사람은 스스로 신지라 하고, 그 다음은 읍차라고 하였다.
>
> – 『삼국지』, 위서 동이전 –

① 영고라는 제천 행사가 있었다.
② 고구려에 어물과 소금을 바쳤다.
③ 화랑도라는 국가적 조직이 있었다.
④ 덩이쇠를 낙랑군과 왜에 수출하였다.
⑤ 당의 침략에 대비해 천리장성을 쌓았다.

[21914-0082] ○ △ ✕

2 다음 상황이 나타난 시기에 볼 수 있던 모습으로 옳은 것은? [3점]

> 유청신의 첫 이름은 비이며 장흥부 고이 부곡 사람이고, 그의 선대도 부곡의 아전이었다. 우리나라 제도에는 부곡 아전은 공로가 있어도 5품을 넘지 못하였다. 그런데 유청신은 …… 몽골어를 익혀 자주 원에 왕의 사명을 받들고 왕래하여 응대를 잘 하였으므로, 이로 인하여 충렬왕의 신임을 받아서 낭장이 되었다. 왕의 교서에 이르기를, "유청신은 …… 비록 그 가문이 5품에 한정되어 있지만 유청신 본인에 한해서는 3품까지 승진을 허락한다. 또 고이 부곡을 고흥현으로 승격시키도록 하라."라고 하였다.

① 공녀 차출을 걱정하는 여인
② 독서삼품과를 준비하는 학생
③ 녹읍 폐지 발표에 분개하는 귀족
④ 균역법 시행 소식에 기뻐하는 농민
⑤ 유향소를 통해 수령을 보좌하는 지방 양반

[21914-0083] ○ △ ✕

3 (가) 세력에 대한 설명으로 옳은 것은?

수행 평가 보고서

○주제 : 성종 때부터 본격적으로 정계에 등장한 ⎡ (가) ⎤ 세
력의 주요 인물 조사

○수집 내용

• 김종직 : 홍문관 관원으로 경연에 참여하였음. 도승지, 이조
참판 등의 벼슬을 지냄

• 김일손 : 김종직의 제자이며, 승정원, 홍문관 등에서 근무함.
무오사화로 처형됨

• 조광조 : 중종 때 사헌부, 춘추관 등에서 근무하였음. 기묘사
화로 유배된 후 처형됨

① 골품제의 제한을 받았다.
② 음서와 공음전의 혜택을 누렸다.
③ 원의 세력을 배경으로 권력을 잡았다.
④ 향약 실시를 통한 향촌 자치를 내세웠다.
⑤ 풍수지리설을 내세워 서경 천도를 주장하였다.

[21914-0084] ○ △ ✕

4 다음 주장이 제기되었을 당시의 상황에 대한 학생들의 발표
내용으로 적절한 것은? [3점]

이번 임술년에 진주에서 난이 일어난 것은 삼정이
모두 문란했기 때문인데, 살을 베어 내고 뼈를 깎
는 것 같은 고통은 환곡이 으뜸입니다. 진주의 거
짓으로 손실된 환곡에 대해서는 이미 조사 결과를
아뢰었습니다. …… 마땅히 이를 해결하기 위해서
는 특별히 하나의 국(局)을 설치하고 적임자를 선
발하여 일을 맡겨야 할 것입니다.

① 관리에게 역분전이 지급되었어요.
② 군국기무처가 개혁을 주도하였어요.
③ 건원중보라는 철전을 발행하였어요.
④ 해산 군인들이 의병에 합류하였어요.
⑤ 세도 정치로 정치 기강이 무너졌어요.

[21914-0085] ○ △ ✕

5 (가), (나) 시기 사이에 볼 수 있던 모습으로 적절한 것은?
[3점]

(가)

며칠 전 일본
낭인들이 궁
궐에 침입하
였다네.

왕비가 그들
에 의해 시해
당했다는군.

(나)

종로에서 오늘 개최되는 만민
공동회를 통해 러시아의 이권
침탈을 규탄합시다.

① 고종의 환궁을 요구하는 유생
② 국채 보상 운동을 취재하는 기자
③ 산미 증식 계획을 발표하는 관리
④ 당백전 발행의 중지를 건의하는 신하
⑤ 일본과의 수교 반대 상소를 올리는 학자

[21914-0086] ○ △ ✕

6 다음 글이 작성된 배경으로 가장 적절한 것은?

저들이 …… 대체 우리나라의 독립과 자주 및 영토를 보호한다
고 말한 것이 몇 차례입니까? …… 저들이 지금 황실을 보전한
다고 하는 것을 폐하께서는 과연 깊이 믿으십니까? …… 조약
문도 다행히 폐하의 준허와 참정의 인가를 거치지 않은 것이
니, 한갓 역적들이 억지로 조인한 허위 조약에 불과한 것입니
다. 마땅히 우선 박제순 등 오적(五賊)의 머리를 자르는 것으로
써 나라를 팔아먹은 죄를 다스려야 할 것입니다.

— 최익현 —

① 을사늑약이 체결되었다.
② 아관 파천이 단행되었다.
③ 거문도 사건이 일어났다.
④ 고종이 강제로 퇴위당하였다.
⑤ 조선책략이 국내에 유포되었다.

7 다음 신문 기사가 작성되었던 시기에 볼 수 있던 모습으로 적절한 것은? [3점]   [21914-0087] ○ △ ✕

> 지난 20일 오전 10시 정선 공립 심상 소학교에서 군 연맹 대회를 개최하였다. 각 면 연맹 이사장과 각 부락 이사장, 애국반장을 합하여 수백 명의 연맹 지도자는 개회 전 정선 신사에 참배하고 대회장으로 자리를 옮겼다. 이어 식순에 따라 궁성 요배와 국가 봉창, 전몰장병에 대한 묵도를 올리고 군 연맹 이사장의 식사와 선언문을 낭독한 후 황국 신민 서사 제창으로써 대회를 마쳤다.
>
> — ○○신문, 19△△. 1. 26. —

① 통감부에서 근무하는 관리
② 방곡령을 선포하는 함경도 관찰사
③ 내선일체 홍보 포스터를 제작하는 출판업자
④ 청산리 전투를 벌이는 북로 군정서의 독립군
⑤ 토지 조사령에 따라 필요한 서류를 작성하는 농민

8 밑줄 친 '사건'에 대한 설명으로 옳은 것은? [3점]   [21914-0088] ○ △ ✕

> 재판장 : 피고는 이선호와 무엇을 의논하였는가?
> 피 고 : 기미년(1919) 경험을 보아 이번 인산 때에도 반드시 무슨 일이 일어날 모양이니, 일이 있거든 부디 나도 빼지 말고 참가시켜 달라고 간청하였소.
> 재판장 : 사건 전날 중앙 고등 보통학교에서 학생들을 모아 놓고 독립 만세를 부르자는 말을 한 적 있는가?
> 피 고 : 있었소. 인산일에 만약 무슨 일이 있거든 우리는 비겁하지 말자고 하였소.
> 재판장 : 사건 당일에는 무슨 일을 하였는가?
> 피 고 : 인산 행렬 맨 끝에서 만세를 부르며 격문을 살포하였소.

① 명성 황후 시해에 반발하여 일어났다.
② 민족 협동 전선 운동에 영향을 주었다.
③ 광주에서 시작되어 전국으로 확산되었다.
④ 민족 대표들이 독립 선언서를 발표하였다.
⑤ 대한민국 임시 정부가 수립되는 계기가 되었다.

9 다음 자료를 통해 알 수 있는 민주화 운동에 대한 설명으로 옳은 것은?   [21914-0089] ○ △ ✕

> 정부 당국에서는 17일 야간에 계엄령을 확대 선포하고 일부 학생과 민주 인사, 정치인을 도무지 믿을 수 없는 구실로 불법 연행했습니다. 이에 우리 시민 모두는 의아해했습니다. …… 계엄 당국은 18일 오후부터 공수 부대를 대량 투입하여 시내 곳곳에서 학생, 젊은이들에게 무차별 살상을 자행하였으니!

① 신탁 통치 결정에 반발하였다.
② 민립 대학 설립을 추진하였다.
③ 신군부 세력의 퇴진을 요구하였다.
④ 국가 총동원법 실시에 반대하였다.
⑤ 이승만 대통령이 하야하는 결과를 가져왔다.

10 다음 선언이 발표된 이후에 있었던 사실로 옳은 것은?   [21914-0090] ○ △ ✕

> 조국의 평화적 통일을 염원하는 온 겨레의 숭고한 뜻에 따라 남북 정상들은 6월 13일부터 6월 15일까지 평양에서 역사적인 상봉을 하였으며 정상 회담을 가졌다. 남북 정상들은 분단 역사상 처음으로 열린 이번 상봉과 회담이 서로 이해를 증진시키고 남북 관계를 발전시키며 평화 통일을 실현하는 데 중대한 의의를 가진다고 평가하고 다음과 같이 선언한다.

① 개성 공단 건설이 추진되었다.
② 7·4 남북 공동 성명이 발표되었다.
③ 통일의 3대 원칙이 최초로 합의되었다.
④ 한반도 비핵화 공동 선언이 채택되었다.
⑤ 남북 이산가족 상봉이 처음으로 이루어졌다.

10회 미니모의고사

제한 시간 15분 / 배점 25점

EBS 수능특강 Q 미니모의고사 **한국사**

○ 알고 맞힘 /10   △ 헷갈림 /10   ✕ 모르고 틀림 /10

[21914-0091] ○ △ ✕

1 **(가), (나) 시기 사이에 고조선에서 있었던 사실로 옳은 것은?** [3점]

(가) 위만은 준왕의 신임을 받아 서쪽 변경을 수비하는 임무를 맡았다. 그는 그곳에 거주하는 이주민 세력을 통솔하면서 자신의 세력을 점차 확대하여 나갔다. 그 후 위만은 수도인 왕검성에 쳐들어가 준왕을 몰아내고 스스로 왕이 되었다.

(나) 한의 무제는 수륙 양면으로 대규모 침략을 감행하였다. 고조선은 1차의 접전(패수)에서 대승을 거두었고, 이후 약 1년에 걸쳐 한의 군대에 맞서 완강하게 대항하였다. 그러나 장기간의 전쟁으로 지배층의 내분이 일어나 왕검성이 함락되어 멸망하였다.

① 태학을 설립하였다.
② 웅진으로 천도하였다.
③ 중국의 연과 대립하였다.
④ 김씨의 왕위 세습이 이루어졌다.
⑤ 중계 무역을 통해 이익을 얻었다.

[21914-0092] ○ △ ✕

2 **(가)에 들어갈 내용으로 적절한 것은?**

수행 평가 계획서

• 주제 : 고려 시대의 다양한 문화유산
• 방식 : 고려의 문화유산을 소개하는 영상을 제작하여 제출
• 영상에 담길 주요 내용
  – _____(가)_____
  – 뛰어난 금속 주조 기술이 반영된 은입사 정병
  – 각지의 특색을 엿볼 수 있는 거대한 불상과 다각 다층탑

① 벽돌을 이용하여 축조한 영광탑
② 상감 기법이 적용된 다양한 청자
③ 부처의 세계를 구현한 경주 불국사
④ 주택 양식이 반영되어 건립된 서원
⑤ 말의 배가리개에 그려진 천마총 천마도

[21914-0093] ○ △ ✕

3 다음 자료를 활용한 학습 주제로 가장 적절한 것은? [3점]

예측한 일식이 일어나지 않았으니, 서운관 관리에게 죄를 물으셔야 합니다.

중국에서도 같은 날 일식 예보가 있었으니, 이는 서운관에서 관측을 잘못한 것이 아니다.

이순지와 김담에게 우리의 실정에 맞는 역법을 완성하게 하여 후세로 하여금 조선이 전례에 없던 업적을 세웠음을 알게 하라.

① 칠정산 편찬
② 팔만대장경 조판
③ 독서삼품과 시행
④ 전민변정도감 설치
⑤ 무구정광대다라니경 제작

[21914-0094] ○ △ ✕

4 (가)에 들어갈 그림으로 가장 적절한 것은?

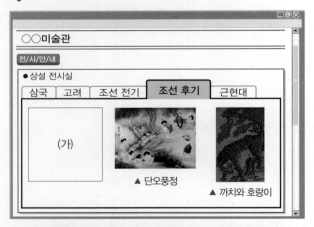

○○미술관

전/시/안/내

● 상설 전시실

| 삼국 | 고려 | 조선 전기 | 조선 후기 | 근현대 |

(가)

▲ 단오풍정

▲ 까치와 호랑이

①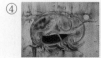
▲ 인왕제색도

②
▲ 수월관음도

③
▲ 고사관수도

④
▲ 강서 고분의 현무도

⑤
▲ 몽유도원도

[21914-0095] ○ △ ✕

5 다음 행사가 이루어진 시기에 볼 수 있던 모습으로 가장 적절한 것은? [3점]

본국 황제 폐하(고종)의 등극 6주년 기념 행사에 귀국의 공사께서 참석하신다고 하니 영광입니다. 경축 예식의 일정을 보내드리오니 참고하십시오.

날짜	시간	행사 내용
4. 27.	종일	각국 사절 영접
4. 28.	10시	외부대신의 사례
	20시	저녁 만찬
4. 29.	종일	방문 답례
4. 30.	9시	환구단에서 예식 진행

① 지계를 발급받는 농민
② 미국으로 파견되는 보빙사
③ 제물포 조약에 서명하는 관리
④ 쌍성총관부 공격에 나서는 군인
⑤ 속대전의 편찬을 명령하는 국왕

[21914-0096] ○ △ ✕

6 (가)에 들어갈 내용으로 가장 적절한 것은?

報申日每韓大
보신일미한대
1907. 3. △△.

인간이 세상에 의무가 둘 있으니, 나라를 위하고 가정을 위함이라. 가정은 나라 안에 있으니 나라가 흥왕한 즉, 가정이 따라서 흥왕하고, 나라가 쇠락한 즉, 화를 면할 수 없다.

이로 미루어 나라가 만약 부채가 있어 이를 상환하지 못하면 비단 나라에 책임이 있는 것만 아니라, 끝내는 나라가 멸망에 이르게 된다. 그러므로 우리는 （가）

① 토산품을 애용해야 한다.
② 지계를 발급받아야 한다.
③ 남면북양 정책을 추진해야 한다.
④ 일본의 황무지 개간권 요구를 막아야 한다.
⑤ 담배 끊기, 가락지 모으기 등에 참여해야 한다.

7 (가)에 들어갈 내용으로 적절한 것은? [3점]   [21914-0097] ○ △ ✕

연해주에서 전개되었던 독립운동에 대해 조사한 것을 발표해 볼까요?

민족 운동가들이 한인 사회를 대표하는 권업회를 결성하였습니다.

제1차 세계 대전 이후 대한 국민 의회가 성립하였습니다.

(가)

① 한국광복군이 창설되었습니다.
② 조선 민립 대학 기성회가 결성되었습니다.
③ 안중근이 이토 히로부미를 처단하였습니다.
④ 홍경래의 주도로 무장 봉기가 일어났습니다.
⑤ 이상설 등이 대한 광복군 정부를 세웠습니다.

8 (가) 단체에 대한 설명으로 옳은 것은?   [21914-0098] ○ △ ✕

한글 강습회

  (가) 이/가 제정한 한글 맞춤법 통일안이 지난 10월 29일에 발표되었습니다. 이와 관련하여 한글 맞춤법 통일안에 대해 설명하고, 일상생활에 적용하는 방법을 알려 드립니다.

일시 : 11월 23일~29일(19:00~22:00)
장소 : 종로 청년회관 대강당
회비 : 30전

공동 주최 —   (가) , 중앙기독교청년회

① 독립신문을 발행하였다.
② 인내천 사상을 내세웠다.
③ 개경 환도를 반대하였다.
④ 우리말 큰사전 편찬 사업을 추진하였다.
⑤ 창조파와 개조파의 대립으로 약화되었다.

9 다음 대화의 내용을 활용한 탐구 주제로 가장 적절한 것은?   [21914-0099] ○ △ ✕
[3점]

부산과 마산 등지에서 일어났던 민주화 시위는 총선에서 야당의 선전, YH 무역 사건 발생 등에 영향을 받았다고 볼 수 있겠죠?

네, 그렇습니다. 그리고 제2차 석유 파동에 따른 경제 위기도 관련 배경으로 생각해 볼 필요가 있다고 생각합니다.

① 3저 호황의 결과
② 4·19 혁명의 발생
③ 6·25 전쟁의 전개
④ 6월 민주 항쟁의 과정
⑤ 유신 체제의 붕괴 배경

10 다음 정책을 발표한 정부에 대한 설명으로 옳은 것은?   [21914-0100] ○ △ ✕

친애하는 국민 여러분. 드디어 우리는 금융 실명제를 실시합니다. 이 시간 이후 모든 금융 거래는 실명으로만 이루어집니다. 금융 실명제 실시를 위한 대통령 긴급 명령은 깨끗한 사회로 가기 위해 필수적인 제도 개혁입니다. 금융 실명제가 정착된다면 모든 국민이 자신들의 부에 대하여 떳떳하고 정당해질 것입니다.

① 농지 개혁법을 제정하였다.
② 남면북양 정책을 시행하였다.
③ 개성 공단 조성에 합의하였다.
④ 제1차 경제 개발 계획을 추진하였다.
⑤ 경제 협력 개발 기구(OECD)에 가입하였다.

11회 미니모의고사

○ 알고 맞힘 / 10   △ 헷갈림 / 10   ✕ 모르고 틀림 / 10

[21914-0101] ○ △ ✕

1 (가)에 들어갈 내용으로 가장 적절한 것은?

수업 주제 : [(가)]

▲ 석굴암 본존불   ▲ 성덕 대왕 신종

▲ 불국사

① 삼국 시대의 유교 문화
② 불교 예술의 꽃을 피운 통일 신라
③ 신라 말 선종과 풍수지리설의 유행
④ 산천 숭배와 불로장생을 추구한 도교
⑤ 유교 문화와 불교 문화가 공존한 고려

[21914-0102] ○ △ ✕

2 밑줄 친 '명령'을 시행한 목적으로 적절한 것은?

> 태조(왕건)가 창업할 처음에는 …… 본래 노비를 가진 자는 없었고 포로를 얻거나 혹 재물로 샀었다. 태조는 일찍이 포로를 놓아 주어 양민으로 삼으려 하였지만, 공신들이 동요하는 걱정이 있을까 염려하여 편의대로 하게 하였다. …… 이후 광종은 노비를 안검하고 그 시비를 가리도록 <u>명령</u>하니, 사람들이 모두 원망하면서도 감히 간하는 자가 없었다.
>
> – 『동사강목』 –

① 공·사노비 제도 폐지
② 공신 및 호족 세력 견제
③ 기철 등 친원 세력 숙청
④ 양반 중심의 신분 질서 확립
⑤ 탕평 정치를 통한 왕권 안정

[21914-0103] ○ △ ✕

3 다음 상황이 나타났던 시기를 연표에서 옳게 고른 것은?
[3점]

> 상왕, 국왕과 신하들이 (일본의) 허술한 틈을 타서 대마도를 치기로 하고 곧 장천군 이종무를 삼군 도체찰사로 명하여, 중군(中軍)을 거느리게 하고, …… 경상·전라·충청의 3도 병선 2백 척과 하번 갑사, 별패, 시위패, …… 향리, 잡무 종사자 중에서 배 타는 데 능숙한 군정(軍丁)들을 거느려, 왜구의 돌아오는 길목을 맞이하고, 각 도의 병선들이 함께 견내량에 모여서 기다리기로 약속하였다.

(가)	(나)	(다)	(라)	(마)
한양 천도	세종 즉위	집현전 폐지	경국대전 반포	갑자사화	선조 즉위

① (가)   ② (나)   ③ (다)   ④ (라)   ⑤ (마)

[21914-0104] ○ △ ✕

4 밑줄 친 '연극'에서 볼 수 있는 장면으로 적절한 것은?

수원 화성 문화제, 내달 7일 개막

다음 달 7일부터 12일까지 6일간 열리는 수원 화성 문화제는 18세기 후반 수원 화성에서 볼 수 있던 여러 모습을 재연하고 다양한 프로그램을 마련하였다. 수원 화성 팔달

▲ 수원 화성의 팔달문

문 앞에 마련된 광장에서는 수원 화성을 건립한 조선의 개혁 군주의 삶을 그린 연극이 무대에 오를 예정이다.
― ○○신문, 20□□. 9. 30. ―

① 국왕을 호위하는 장용영의 병사
② 국자감에서 유학을 공부하는 학생
③ 교조 신원 운동을 벌이는 동학교도
④ 과전법의 도입을 주장하는 신진 사대부
⑤ 별무반 소속으로 여진족과 전투를 벌이는 군인

[21914-0105] ○ △ ✕

5 다음 조치가 내려진 개혁에 대한 탐구 활동으로 가장 적절한 것은? [3점]

> • 남녀 간의 조혼을 금지한다.
> • 과부의 재혼은 자유에 맡긴다.
> • 공·사노비법을 없애고 인신매매를 금지한다.

① 제물포 조약의 내용을 살펴본다.
② 신해통공의 시행 결과를 분석한다.
③ 형평 운동의 전개 과정을 찾아본다.
④ 군국기무처의 주요 활동을 정리한다.
⑤ 전민변정도감의 설치 목적을 조사한다.

[21914-0106] ○ △ ✕

6 다음 요구가 제기된 배경을 알아보기 위한 탐구 활동으로 적절한 것은? [3점]

> 근래 외국 상인은 발전하고 우리나라 상인의 생업은 쇠락하여 심지어 점포 자리를 외국 사람에게 팔아 버리는 지경에 이르렀다. …… 우리가 충심으로 본회를 설치하고 규칙을 만들었으니 …… 본회 이름은 황국 중앙 총상회로 하고 중앙 각 점포가 함께 회의하여 점포의 경계를 정하되, 동쪽으로는 철물교, 서쪽으로는 송교, 남쪽으로는 작은 광교, 북쪽으로 안현까지 외국인의 상업 행위를 허락하지 말라.

① 토지 조사령의 시행 결과를 살펴본다.
② 화폐 정리 사업의 전개 과정을 찾아본다.
③ 물산 장려 운동에서 나온 구호를 분석한다.
④ 동양 척식 주식회사의 경제 침탈 내용을 정리한다.
⑤ 조청 상민 수륙 무역 장정이 끼친 영향을 조사한다.

[21914-0107] ○ △ ✕

7 다음 내용이 발표된 계기로 옳은 것은?

> **일본 하라 수상의 조선 통치에 대한 견해**
> • 경찰 제도는 헌병 제도를 폐지하여 경찰 업무는 경찰관이 맡게 하고, 일본과 같이 지방 장관에게 소속시킨다.
> • 교육은 일본과 같게 한다. 조선인에게 특별한 제도를 펴는 방침은 고친다.
> • 조선 관리가 제복을 입고 칼을 차는 것을 폐지한다.

① 3·1 운동
② 동학 농민 운동
③ 6·10 만세 운동
④ 광주 학생 항일 운동
⑤ 민립 대학 설립 운동

[21914-0108] ○ △ ✕

8 (가)에 들어갈 내용으로 적절한 것은?

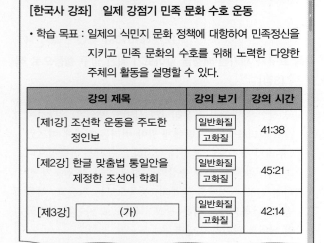

[한국사 강좌] 일제 강점기 민족 문화 수호 운동
• 학습 목표 : 일제의 식민지 문화 정책에 대항하여 민족정신을 지키고 민족 문화의 수호를 위해 노력한 다양한 주체의 활동을 설명할 수 있다.

강의 제목	강의 보기	강의 시간
[제1강] 조선학 운동을 주도한 정인보	일반화질 / 고화질	41:38
[제2강] 한글 맞춤법 통일안을 제정한 조선어 학회	일반화질 / 고화질	45:21
[제3강] (가)	일반화질 / 고화질	42:14

① 독립신문을 창간한 서재필
② 한국통사를 저술한 박은식
③ 만인소를 올린 영남 유생들
④ 교육입국 조서를 반포한 고종
⑤ 조선사를 편찬한 조선사 편수회

[21914-0109] ○ △ ✕

9 다음 헌법이 적용되던 시기에 볼 수 있던 모습으로 적절한 것은? [3점]

> 제39조 ① 대통령은 통일 주체 국민 회의에서 토론 없이 무기명 투표로 선거한다.
> 제47조 대통령의 임기는 6년으로 한다.
> 제53조 ① 대통령은 천재·지변 또는 중대한 재정·경제상의 위기에 처하거나, 국가의 안전 보장 또는 공공의 안녕질서가 중대한 위협을 받거나 받을 우려가 있어, 신속한 조치를 할 필요가 있다고 판단할 때에는 내정·외교·국방·경제·재정·사법 등 국정 전반에 걸쳐 필요한 긴급 조치를 할 수 있다.

① 국채 보상 운동에 동참하는 시민
② 부·마 민주 항쟁에 참여하는 학생
③ 농지 개혁법의 제정을 환영하는 농민
④ 한일 협정 체결 현장을 취재하는 기자
⑤ 남북 기본 합의서에 서명하는 국무총리

[21914-0110] ○ △ ✕

10 다음 자료를 활용한 탐구 주제로 적절한 것은? [3점]

> 이번 평양에서 열린 정상 회담에서 북한이 그동안 고수해 오던 주장을 양보하고 보다 현실성 있는 우리의 통일 방안에 접근해 온 것은 매우 중요한 성과라 할 것입니다. …… 남북의 정상이 처음 만나 대화를 나누고 민족의 문제를 풀어가는 기본 원칙에 합의한 것은 반세기 우리 민족의 분단사에 큰 진전이 아닐 수 없습니다.

① 통일 주체 국민 회의의 설치
② 6·15 남북 공동 선언의 발표
③ 남북 조절 위원회 설치의 배경
④ 북한의 합영법 제정 의미와 내용
⑤ 모스크바 3국 외상 회의의 개최와 국내 반응

12회 미니모의고사

[21914-0111] ○ △ ✕

1 (가)를 단행한 국가에서 있었던 사실로 옳은 것은? [3점]

① 살수 대첩이 일어났다.
② 3성 6부제가 마련되었다.
③ 전시과 제도가 운영되었다.
④ 장보고가 청해진을 설치하였다.
⑤ 광개토 대왕릉비가 건립되었다.

[21914-0112] ○ △ ✕

2 (가)에 들어갈 내용으로 가장 적절한 것은?

윤관이 여진을 몰아내고 고려의 국경임을 알리는 비석을 세우는 장면을 그린 이 그림은 ▢(가)▢ 와/과 관련이 있습니다.

① 신라도   ② 4군 6진
③ 동북 9성   ④ 강동 6주
⑤ 9서당 10정

[21914-0113] ○ △ ×

3 (가)에 들어갈 내용으로 적절한 것은? [3점]

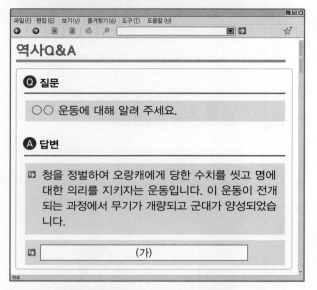

역사Q&A

Q 질문

○○ 운동에 대해 알려 주세요.

A 답변

↪ 청을 정벌하여 오랑캐에게 당한 수치를 씻고 명에
대한 의리를 지키자는 운동입니다. 이 운동이 전개
되는 과정에서 무기가 개량되고 군대가 양성되었습
니다.

↪   (가)

① 효종 때에 활발하게 전개되었습니다.
② 조선책략의 영향으로 추진되었습니다.
③ 정묘호란이 일어나는 원인이 되었습니다.
④ 동북 9성을 설치하는 계기가 되었습니다.
⑤ 북학파 실학자를 중심으로 제기되었습니다.

[21914-0114] ○ △ ×

4 (가) 계층에 대한 설명으로 옳은 것은? [3점]

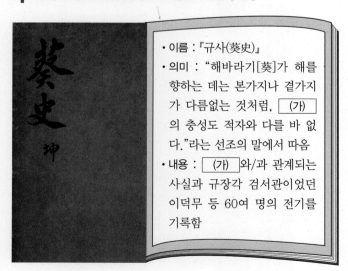

• 이름 : 『규사(葵史)』
• 의미 : "해바라기[葵]가 해를
향하는 데는 본가지나 곁가지
가 다름없는 것처럼, (가)
의 충성도 적자와 다를 바 없
다."라는 선조의 말에서 따옴
• 내용 : (가) 와/과 관계되는
사실과 규장각 검서관이었던
이덕무 등 60여 명의 전기를
기록함

① 신공을 납부하였다.
② 고려 시대에는 백정으로 불렸다.
③ 매매와 상속, 증여의 대상이 되었다.
④ 스스로 성주 또는 장군이라고 칭하였다.
⑤ 양반의 첩에게서 태어나 차별 대우를 받았다.

[21914-0115] ○ △ ×

5 다음 사건이 일어나게 된 배경으로 적절한 것은?

연회에 참석하러 왔던 사람들이 변고가 일어났다는 소식을 듣
고 모두 흩어졌다. 김옥균 등이 대궐로 들어가 청나라 사람들
이 난을 일으켰다고 공포 분위기를 조성한 다음, 임금을 경우
궁으로 옮기게 하고 일본 사람을 불러 호위하도록 하자, 다케
조에가 병사를 거느리고 궁의 담장을 에워쌌다.

– 황현, 『오하기문』 –

① 을미사변이 일어났다.
② 한일 신협약이 체결되었다.
③ 국가 총동원법이 제정되었다.
④ 러시아가 삼국 간섭을 주도하였다.
⑤ 청이 조선에 대한 내정을 간섭하였다.

[21914-0116] ○ △ ×

6 밑줄 친 '이 땅'에 대한 탐구 활동으로 적절한 것은?

김규홍이 아뢰기를 "우리나라 백성들이 이 땅에서 살아 온 것
은 이미 수십 년이나 되는 오랜 세월인데 아직 관청을 설치하
여 보호하지 못하였으니 허다한 백성들이 의지할 곳이 없습니
다. 청나라 관원들의 학대에 내맡기니 …… 이범윤을 관리사로
주재시켜 그들의 생명과 재산을 보호하게 하여 주십시오." 하
니 황제가 윤허하였다.

① 한국광복군이 창설된 곳을 조사한다.
② 강화도 조약에 따라 개항된 지역을 확인한다.
③ 백두산정계비에 기록된 비문의 내용을 분석한다.
④ 대한 제국이 선포한 칙령 제41호의 내용을 알아본다.
⑤ 일본이 1905년에 발표한 시마네현 고시의 명분을 파악한다.

7 [21914-0117] ○ △ ✕

(가)의 활동으로 옳은 것은?

1919년 3·1 운동 직후 중국 상하이에 수립 선포된 ⎡(가)⎤ 은/는 잃어버린 나라를 되찾기 위한 정책의 하나로 연통부와 교통국을 은밀히 조직하여 국내외를 오가며 활약하였다.

▲ 서울 연통부가 있었던 자리에 세운 기념비(서울 중구 순화동)

① 구미 위원부를 설치하였다.
② 관민 공동회를 개최하였다.
③ 헤이그 특사를 파견하였다.
④ 6월 민주 항쟁을 전개하였다.
⑤ 조선 혁명 군사 정치 간부 학교를 운영하였다.

8 [21914-0118] ○ △ ✕

(가)에 해당하는 종교로 옳은 것은?

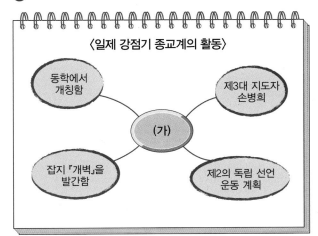

〈일제 강점기 종교계의 활동〉

동학에서 개칭함 — (가) — 제3대 지도자 손병희

잡지 『개벽』을 발간함 — (가) — 제2의 독립 선언 운동 계획

① 천도교   ② 대종교   ③ 원불교
④ 천주교   ⑤ 개신교

9 [21914-0119] ○ △ ✕

다음 상황이 전개된 시기를 연표에서 옳게 고른 것은? [3점]

자유당은 이기붕을 부통령에 당선시키려고 막걸리도 사주고 고무신도 돌리더라고.

결과야 두고 봐야 알겠지. 3월 15일을 기다려 보자고.

1945	1950	1954	1960	1972	1980
(가)	(나)	(다)	(라)	(마)	
광복	6·25 전쟁	사사오입 개헌	4·19 혁명	10월 유신	5·18 민주화 운동

① (가)   ② (나)   ③ (다)   ④ (라)   ⑤ (마)

10 [21914-0120] ○ △ ✕

다음 대통령 선거에 대한 설명으로 옳은 것은? [3점]

〈제13대 대통령 선거 결과〉

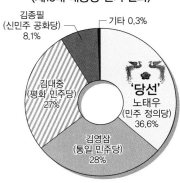

김종필 (신민주 공화당) 8.1%
기타 0.3%
김대중 (평화 민주당) 27%
'당선' 노태우 (민주 정의당) 36.6%
김영삼 (통일 민주당) 28%

– 중앙 선거 관리 위원회 –

① 유엔의 감시 아래 치러졌다.
② 유신 헌법에 따라 실시되었다.
③ 국민의 직접 선거로 치러졌다.
④ 부·마 민주 항쟁에 영향을 주었다.
⑤ 통일 주체 국민 회의에서 실시되었다.

13회 미니모의고사

○ 알고 맞힘 ◯ / 10   △ 헷갈림 ◯ / 10   ✕ 모르고 틀림 ◯ / 10

[21914-0121] ○ △ ✕

1 (가) 국가에 대한 설명으로 옳은 것은?

> **(가)** 의 고분 벽화 특별전에
> **여러분을 초대합니다**
>
> 2004년 유네스코 세계 유산으로 등재된 한민족의 위대한 문화 유산을 통해 여러분은 당시 살았던 사람들의 생활과 세계관을 엿볼 수 있을 것입니다.
>
>
> ▲ 강서 고분의 현무도   ▲ 무용총의 수렵도
>
> • 기간 : 2021년 ○○월 ○○일 ~ ○○월 ○○일
> • 장소 : ○○박물관 기획전시실

① 과거제를 실시하였다.

② 광개토 대왕릉비를 건립하였다.

③ 전성기에 해동성국이라고 불렸다.

④ 벽란도가 국제 무역항으로 번성하였다.

⑤ 부왕과 준왕이 등장하여 왕위를 세습하였다.

[21914-0122] ○ △ ✕

2 (가) 제도에 대한 설명으로 옳은 것은? [3점]

> 고려의 토지 제도는 대체로 당의 제도를 모방하였다. 경작하는 토지의 수를 모두 헤아리고 그 비옥함과 척박함을 나누어, 문무의 백관으로부터 부병과 한인에 이르기까지 등급에 따라 토지를 주었고, 또 그 등급에 따라 초채지*도 지급하였으니, 이를 일컬어 **(가)** (이)라고 하였다.
>
> – 『고려사』 –
>
> * 초채지 : 땔감을 마련하기 위해 지급된 토지로 시지라고도 하는데, 임야를 말한다.

① 신진 사대부의 주도로 마련되었다.

② 토지 소유자에게 지계가 발급되었다.

③ 토지에 딸린 노동력을 징발할 수 있었다.

④ 대상에 따라 공음전, 군인전 등이 지급되었다.

⑤ 지급할 토지가 부족해지면서 직전법으로 바뀌었다.

3 [21914-0123] ○ △ ✕

(가)에 들어갈 내용으로 옳은 것은?

조선 시대의 지방 행정이 고려 시대와 다른 점을 말씀해 주시지요.

조선에서는 고려와 달리 모든 군현에 수령이 파견되었습니다. 그 결과   (가)

① 속현이 소멸되었습니다.
② 5소경이 설치되었습니다.
③ 향리의 지위가 높아졌습니다.
④ 향·부곡·소의 수가 증가하였습니다.
⑤ 군사 행정 구역인 양계가 설치되었습니다.

4 [21914-0124] ○ △ ✕

다음 상황이 전개된 시기의 사회 모습으로 적절한 것은? [3점]

> 왕십리의 무, 살곶이 다리의 순무, 서대문 밖 석교의 가지와 오이, 수박, 호박, 연희궁의 고추, 마늘, 부추, 파, 청파의 미나리, 이태원의 토란 등은 상상전(上上田)에 심는데, 모두 엄씨의 인분으로 땅이 비옥해져 많은 수확을 올릴 수 있으며, 그 수입이 일 년에 육천 전이나 된다네.
>
> – 박지원, 『연암집』 –

① 공음전이 세습되었다.
② 골품제가 실시되었다.
③ 은병(활구)이 제작되었다.
④ 민영 수공업이 발달하였다.
⑤ 향·부곡·소의 주민이 차별을 받았다.

5 [21914-0125] ○ △ ✕

(가)에 들어갈 내용으로 가장 적절한 것은? [3점]

> [역사교양]   여름호
>
> **중국 군대의 한반도 출병**
>
> 주제 1 : 한 무제의 고조선 침략
>   소제목 : 한 군현 설치 이후 고조선 사회의 변화
>
> 주제 2 : 당의 한반도 지배 야욕
>   소제목 : 한반도에서 당군 축출의 의의
>
> 주제 3 : 임진왜란 시기 명군의 참전
>   소제목 : 평양성 전투에서 조명 연합군의 전술
>
> 주제 4 : 동학 농민 운동 시기 청군의 파병
>   소제목 :   (가)

① 운요호의 침략과 조선군의 피해
② 별기군의 창설과 외국인 교관 초빙
③ 병인양요 시기 로즈 제독 함대의 규모
④ 조선 정부의 청군 요청과 일본의 파병
⑤ 급진 개화파의 정변 발생 시 청군의 현황

6 [21914-0126] ○ △ ✕

(가) 사건에 대한 설명으로 옳은 것은?

> (가) 의 판결 내용
>
> • 제1심 판결
>   – 123명의 기소자 중 18명을 제외한 105인에게 검사측이 구형한 형량 그대로 유죄 선고
>
> • 제2심 판결
>   – 105인 중 6인을 제외한 99인에게 무죄 선고
>
> • 최종 판결
>   – 양기탁 등 5인에게 징역 6년, 옥관빈에게 징역 5년 선고

① 치안 유지법의 적용을 받았다.
② 독립 협회가 주도하여 일어났다.
③ 단독 정부 수립 반대를 내세웠다.
④ 신민회가 와해되는 계기가 되었다.
⑤ 동아일보를 통해 처음 보도되었다.

[21914-0127] ○ △ ✕

7 다음 신문 기사가 작성된 시기에 볼 수 있던 모습으로 가장 적절한 것은? [3점]

매일신보 ○○○○년 ○○월 ○○일

국민 총력 조선 연맹 이사회가 국민 총력 운동의 이념과 그 구체적 실천 요강을 확정하여 각 도 연맹에 통첩하였다. 그 내용은 다음과 같다.

1. 사상 통일
   가. 일본 정신의 고취
      ① 황국 신민 서사 암송   ② 정오 묵도
      ③ 신사 참배   ④ 궁성 요배
   나. 내선일체의 완성
      ① 단결의 강화   ② 내선풍습의 융합
      ③ 일본어 보급

① 통감부에서 근무하는 관리
② 조선 태형령을 집행하는 헌병 경찰
③ 조선 형평사 창립을 준비하는 백정
④ 지계아문에서 지계를 발급받는 농민
⑤ 일본식 성명 사용 강요에 반발하는 학생

[21914-0128] ○ △ ✕

8 밑줄 친 '본 단체'에 대한 설명으로 옳은 것은?

지금 조선의 역사적 과정에 있어서 무엇이 가장 긴급한 문제냐 하면 그것은 곧 민족 유일 전선으로서 민족 단일당의 진실한 결성인 것을 누구도 부인할 수 없을 것이다. 그리고 이러한 역사적 사명을 위하여 본 단체는 만인의 기대와 응원, 지지 속에 조직 과정을 걸어가고 있는 것이다. 그런데 본 단체는 요즘 조선 내외를 합하여 그 지회 수가 일백 사 개 처에 달하여 …… 각계의 인사를 초대하여 자축을 겸한 기념식을 행하기로 하였다 한다. 혼란한 조선의 민족 운동을 돌아볼 때 크게 기뻐할 일이다.

– ○○일보, 1927. 12. –

① 만민 공동회를 개최하였다.
② 대종교 세력이 조직하였다.
③ 105인 사건으로 와해되었다.
④ 물산 장려 운동을 주도하였다.
⑤ 정우회 선언을 배경으로 결성되었다.

[21914-0129] ○ △ ✕

9 (가)에 들어갈 내용으로 가장 적절한 것은?

일부 군인들이 중앙청으로 진입하고 있는 모습이다. 이들은 '혁명 공약'을 발표하여 반공을 강조하고, 경제 개발과 사회 안정을 명분으로 제시하며 _____(가)_____ 또한 국가 재건 최고 회의를 구성하여 군정을 실시하였다.

① 서울을 수복하였다.
② 유신 헌법을 제정하였다.
③ 5·16 군사 정변을 일으켰다.
④ 부·마 민주 항쟁을 진압하였다.
⑤ 12·12 사태를 일으켜 군사권을 장악하였다.

[21914-0130] ○ △ ✕

10 다음 상황이 나타난 정부 시기에 있었던 사실로 옳은 것은? [3점]

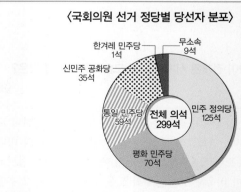

〈국회의원 선거 정당별 당선자 분포〉

한겨레 민주당 1석 / 무소속 9석 / 신민주 공화당 35석 / 통일 민주당 59석 / 전체 의석 299석 / 민주 정의당 125석 / 평화 민주당 70석

1988년에 치러진 총선거의 결과로, 당시 여당은 민주 정의당으로 여소야대 정국이 형성되었다.

① 5공 청문회가 개최되었다.
② 12·12 사태가 발생하였다.
③ 베트남 파병이 추진되었다.
④ 사사오입 개헌이 단행되었다.
⑤ 7·4 남북 공동 성명이 발표되었다.

14회 미니모의고사

○ 알고 맞힘 /10 △ 헷갈림 /10 ✕ 모르고 틀림 /10

[21914-0131] ○ △ ✕

1 밑줄 친 '생활'에 대한 설명으로 옳은 것은?

체험 학습 안내장

▲ 가락바퀴
일시 : 2021년 ○월 ○일
장소 : ○○고등학교 체험 학습실

농경과 목축이 시작된 ○○○ 시대의 생활을 체험하는 활동에 많은 참여를 바랍니다.

– 체험 활동 코너 –
1. 갈판에 곡식 갈기
2. 가락바퀴로 실 뽑아 보기
3. 조개껍데기 얼굴 장식 만들기

① 불상을 제작하였다.
② 움집에서 거주하였다.
③ 철제 농기구를 사용하였다.
④ 주먹도끼를 사용하기 시작하였다.
⑤ 제가 회의를 통해 중대 범죄자를 처벌하였다.

[21914-0132] ○ △ ✕

2 (가) 학문에 대한 설명으로 옳은 것은? [3점]

공민왕 16년(1367)에 성균관을 다시 짓고 이색을 판개성부사 겸 성균대사성으로 삼았다. 학생을 늘리고 경술(經術)을 공부한 선비인 김구용·정몽주·박상충·박의중·이숭인을 택하여 모두 다른 관직을 가지고서 교관을 겸직하도록 하였다. …… 매일 명륜당에 앉아서 경전을 나누어 수업하였는데, 강의를 마치면 함께 논쟁하느라 지루함을 잊을 정도였다. 이에 학자들이 모여들기 시작하였고 서로 함께 눈으로 보고 느끼게 되니, [(가)] 이/가 비로소 흥기하게 되었다.

– 『고려사』 –

① 인내천 사상을 강조하였다.
② 제사 의식인 초제를 중시하였다.
③ 불로장생과 현세 구복을 추구하였다.
④ 신진 사대부에 의해 적극 수용되었다.
⑤ 묘청의 서경 천도 운동에 영향을 끼쳤다.

3 다음 퀴즈의 정답에 해당하는 문화유산으로 옳은 것은? [3점]

이것은 태종 때에 제작되었으며, 조선을 크게 그리고 일본을 거꾸로 표현하는 등 여러 특징을 지니고 있습니다. 또한 서남아시아, 아프리카, 유럽까지 그려 넣어 보다 확대된 지리 인식을 보여주기도 합니다. 이것은 무엇일까요?

① 몽유도원도
② 대동여지도
③ 강서 고분의 현무도
④ 혼일강리역대국도지도
⑤ 천상열차분야지도 각석

4 다음 글이 작성된 시기에 볼 수 있던 모습으로 적절한 것은? [3점]

옷차림은 신분의 귀천을 나타내는 것이다. 그런데 어찌된 까닭인지 근래 이것이 문란해져 상민과 천민들이 갓을 쓰고 도포를 입는 것이 마치 조정의 관리나 선비와 같이 한다. 진실로 한심스럽기 짝이 없다. 심지어 시전 상인들이나 군역을 지는 상민들까지도 서로 양반이라고 부른다.

— 『일성록』 —

① 족보를 위조하는 상민
② 형평 운동을 전개하는 백정
③ 공음전을 세습하는 문벌 귀족
④ 중종반정을 주도하는 훈구 세력
⑤ 홍건적을 물리치는 신흥 무인 세력

5 밑줄 친 '개혁'의 내용으로 옳은 것은?

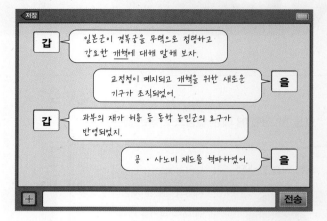

① 과거제가 폐지되었다.
② 5군영이 2영으로 축소되었다.
③ 토지 조사 사업이 실시되었다.
④ 원수부를 통해 황제권이 강화되었다.
⑤ 중추원을 의회식으로 개편하는 관제가 반포되었다.

6 밑줄 친 ⊙에 대한 설명으로 옳은 것은?

역적 무리들이 국모를 시해하고 군부를 위협하여 머리털을 짧게 깎도록 강요하였다. ⊙짐의 백성들이 분개하는 마음을 품고 충의를 일으켜 곳곳에서 봉기한 것이 어찌 이유가 없겠는가? 지금 난적을 소탕하였고, 단발은 각자 편한 대로 하도록 하였으니, …… 짐이 조칙을 여러 차례 내리니 마음을 풀고 돌아가 자신들의 생업에 종사하도록 하라.

① 이봉창이 일왕을 암살하려 하였다.
② 홍경래가 평안도에서 난을 일으켰다.
③ 임병찬이 독립 의군부를 조직하였다.
④ 유인석 등이 의병 활동을 전개하였다.
⑤ 의열단이 식민 통치 기관 파괴에 나섰다.

[21914-0137] ○ △ ✕

7 (가) 법령이 제정된 시기의 사실로 옳은 것은?

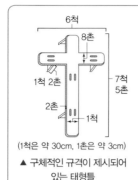

(1척은 약 30cm, 1촌은 약 3cm)
▲ 구체적인 규격이 제시되어 있는 태형틀

자료는 일제 강점기 한국인에게만 적용되었던 □(가)□와/과 관련하여 형을 집행하던 형틀을 그린 것이다. 일제는 □(가)□을/를 제정한 후 며칠 지나지 않아 조선 총독부 훈령으로 이와 관련된 13가지 세부 사항을 정하였다. 여기에는 신체에 고통을 가하는 형벌의 집행 방법을 구체적으로 제시하면서, 그림과 같이 형틀의 규격까지도 정해 놓았다.

① 헌병 경찰제가 실시되었다.
② 제물포 조약이 체결되었다.
③ 고종의 강제 퇴위 반대 운동이 시작되었다.
④ 제1차 경제 개발 5개년 계획이 추진되었다.
⑤ 국가 총동원법에 따라 전시 체제가 강화되었다.

[21914-0138] ○ △ ✕

8 다음 자료에 나타난 사회 운동에 대한 탐구 활동으로 적절한 것은?

여러분은 그런 염려가 없으십니까. "금일의 생활은 비록 이러하여도 내일의 생활은 잘될 수가 있겠지." 이 한 가지 희망을 살리는 도리는 내일의 호주, 내일의 조선 일꾼 소년소녀들을 잘 키우는 것밖에 없습니다. 당신의 한 가정을 살리는 데도 그렇고 조선 전체를 살리는 데도 그렇고 이것 뿐만은 확실한 우리의 활로입니다. …… 어떻게 하면 남보다 낫게 키울까. 그것을 위하는 한 가지 일로 우선 시작한 것이 『어린이』입니다. …… 당신의 살림의 장래와 조선의 장래를 생각하시는 마음으로 우선 당신이 먼저 이 『어린이』를 읽으시고 그 책을 자녀에게 읽히시오.

① 천도교 소년회의 활동을 알아본다.
② 독립 공채가 발행된 목적을 파악한다.
③ 조선어 학회 사건의 결과를 살펴본다.
④ 대한 자강회가 해산된 이유를 조사한다.
⑤ 화폐 정리 사업이 끼친 영향을 정리한다.

[21914-0139] ○ △ ✕

9 밑줄 친 '정부' 시기에 있었던 사실로 옳은 것은? [3점]

내각 책임제 정치하에서 행정부에 부과된 책무를 유감없이 수행하기 위하여서는 무엇보다 먼저 행정부 내의 기강 확립에 주안점을 두지 않아서는 안 될 것이다. 정부로서는 …… 법 질서의 확립으로 국민의 권리와 자유를 보장하고, 3·15 부정 선거 관련자의 처단과 부정 축재 처리에 있어서는 혁명 정신에 입각하여 현행 법을 적정히 활용하여 왔으며, 부정 선거 원흉의 처단은 이미 공소 제기와 구형을 한 터이므로 법원의 엄정한 판결이 있을 것을 기대하는 바이다.

① 6·3 시위가 전개되었다.
② 제주 4·3 사건이 일어났다.
③ 김구가 주석으로 활동하였다.
④ 반민족 행위 처벌법이 제정되었다.
⑤ 장면이 국무총리로 직무를 수행하였다.

[21914-0140] ○ △ ✕

10 다음 자료에 나타난 민주화 운동에 대한 설명으로 옳은 것은? [3점]

민주 쟁취 시민 궐기 대회
• 일시 : 19△△년 5월 23일 오후 1시
• 장소 : 도청 앞 광장
  – 광주 시민은 각 동별로 현수막을 들고 도청 앞 광장으로 집결할 것.
  – 각 학교는 학교별로 현수막을 앞세우고 금남로로 집결할 것.
• 우리의 구호
  – 계엄령을 즉각 해제하라.
  – 광주 시내에 배치된 계엄군은 즉각 철수하라.

① 민립 대학 설립을 추진하였다.
② 긴급 조치권에 의해 탄압받았다.
③ 신군부 세력의 퇴진을 요구하였다.
④ 한·일 학생 간의 충돌로 일어났다.
⑤ 이승만 대통령의 하야를 이끌어 냈다.

MEMO

정답과 해설

EBS 수능특강 Q 미니모의고사 한국사

정답 한눈에 보기

01회 미니모의고사
본문 4~6쪽

| 1 ④ | 2 ② | 3 ② | 4 ① | 5 ③ |
| 6 ② | 7 ⑤ | 8 ⑤ | 9 ⑤ | 10 ② |

02회 미니모의고사
본문 7~9쪽

| 1 ③ | 2 ⑤ | 3 ③ | 4 ⑤ | 5 ⑤ |
| 6 ① | 7 ⑤ | 8 ③ | 9 ② | 10 ① |

03회 미니모의고사
본문 10~12쪽

| 1 ④ | 2 ④ | 3 ② | 4 ④ | 5 ⑤ |
| 6 ① | 7 ④ | 8 ① | 9 ④ | 10 ⑤ |

04회 미니모의고사
본문 13~15쪽

| 1 ① | 2 ④ | 3 ③ | 4 ③ | 5 ② |
| 6 ③ | 7 ④ | 8 ④ | 9 ③ | 10 ④ |

05회 미니모의고사
본문 16~18쪽

| 1 ① | 2 ⑤ | 3 ③ | 4 ② | 5 ① |
| 6 ⑤ | 7 ② | 8 ⑤ | 9 ③ | 10 ① |

06회 미니모의고사
본문 19~21쪽

| 1 ③ | 2 ③ | 3 ① | 4 ③ | 5 ③ |
| 6 ③ | 7 ⑤ | 8 ④ | 9 ② | 10 ② |

07회 미니모의고사
본문 22~24쪽

| 1 ① | 2 ③ | 3 ③ | 4 ② | 5 ⑤ |
| 6 ③ | 7 ⑤ | 8 ② | 9 ⑤ | 10 ① |

08회 미니모의고사
본문 25~27쪽

| 1 ④ | 2 ⑤ | 3 ⑤ | 4 ① | 5 ③ |
| 6 ④ | 7 ③ | 8 ③ | 9 ① | 10 ③ |

09회 미니모의고사
본문 28~30쪽

| 1 ④ | 2 ① | 3 ④ | 4 ⑤ | 5 ① |
| 6 ① | 7 ③ | 8 ② | 9 ③ | 10 ① |

10회 미니모의고사
본문 31~33쪽

| 1 ⑤ | 2 ② | 3 ① | 4 ① | 5 ① |
| 6 ⑤ | 7 ⑤ | 8 ④ | 9 ⑤ | 10 ⑤ |

11회 미니모의고사
본문 34~36쪽

| 1 ② | 2 ② | 3 ② | 4 ① | 5 ④ |
| 6 ⑤ | 7 ① | 8 ② | 9 ② | 10 ② |

12회 미니모의고사
본문 37~39쪽

| 1 ② | 2 ③ | 3 ① | 4 ⑤ | 5 ⑤ |
| 6 ③ | 7 ① | 8 ① | 9 ③ | 10 ③ |

13회 미니모의고사
본문 40~42쪽

| 1 ② | 2 ④ | 3 ① | 4 ④ | 5 ④ |
| 6 ④ | 7 ⑤ | 8 ⑤ | 9 ③ | 10 ① |

14회 미니모의고사
본문 43~45쪽

| 1 ② | 2 ④ | 3 ④ | 4 ① | 5 ① |
| 6 ④ | 7 ① | 8 ① | 9 ⑤ | 10 ③ |

01 회 미니모의고사

본문 4~6쪽

1 ④	2 ②	3 ②	4 ①	5 ③
6 ②	7 ⑤	8 ⑤	9 ⑤	10 ②

1 신석기 시대의 생활 모습 이해

문제분석 자료에서 움집의 존재, 농경과 목축의 모습, 빗살무늬 토기를 사용하는 모습 등을 통해 신석기 시대에 처음 나타난 생활 모습을 보여주는 것임을 알 수 있다. ④ 가락바퀴는 신석기 시대부터 사용되었는데, 실을 뽑을 때 사용한 도구이다. 이를 통해 당시에 옷이나 그물을 만드는 원시적 수공업 생산이 이루어졌음을 알 수 있다.

오답피하기 ① 화백 회의는 신라의 귀족 회의였다.
② 철제 농기구는 철기 시대에 처음 제작되었다.
③ 군장(족장)은 청동기 시대에 출현하였다.
⑤ 태학은 4세기 후반 고구려 소수림왕 때 세워진 국립 교육 기관이다.

2 고려 통치 체제의 특징 파악

문제분석 자료에서 중서문하성과 중추원의 고관인 재신과 추밀, 5도에 속한 지방, 안찰사 등을 통해 밑줄 친 '이 나라'는 고려임을 알 수 있다. ② 고려 시대에는 유교 정치 이념이 확립되면서 유학 교육이 중시되었다. 그리고 국초부터 최고 교육 기관으로 국자감이 설치, 운영되었다.

오답피하기 ① 조선 후기에 정조가 국왕 친위 부대인 장용영을 설치하여 왕권을 강화하였다.
③ 9서당은 통일 신라의 중앙군이며, 10정은 지방군으로 주에 1정씩(한주에는 2정) 배치되었다.
④ 통일 신라는 군사·행정의 중요한 곳에 특별 행정 구역인 5소경을 설치하여 수도가 동남쪽으로 치우친 점을 보완하였다.
⑤ 초계문신제는 조선 후기 정조 때 시행된 관리 재교육 제도였다.

3 조명 연합군의 평양성 탈환 시기 파악

문제분석 자료는 조명 연합군의 평양성 탈환에 대한 내용이다. 이여송이 이끄는 명군, 명군과 관군이 합세하여 평양성으로 진격하여 적을 몰아냈다는 등의 내용을 통해 알 수 있다. ② 16세기에 들어 3포 왜란과 을묘왜변 등 왜인의 소란이 자주 일어나자, 조선은 비변사를 설치하고 사신을 보내 일본 정세를 파악하려 했지만 적극적인 대책을 마련하지 못하였다. 반면 일본에서는 도요토미 히데요시가 전국 시대의 혼란을 수습하고 통일을 이룬 후 조선을 침략하였다(임진왜란). 전쟁 대비가 미흡했던 조선이 왜군에 밀려 잇따라 패배하자, 선조는 의주로 피란하면서 명에 지원군을 요청하였다. 이순신이 이끄는 수군의 승리(옥포 해전, 한산도 해전 등), 의병의 활약, 조명 연합군의 평양성 탈환 등으로 전세가 역전되자 왜군이 휴전 회담을 제의하였다. 회담이 결렬되자 왜군은 다시 침입하였다

(정유재란).

4 대동법의 이해

문제분석 자료에서 방납의 폐단을 해결하고자 토산물 대신 쌀, 무명이나 베, 동전 등을 내도록 하였다는 점을 통해 (가) 제도가 대동법임을 알 수 있다. ① 17세기 이후 대동법이 실시되면서 국가에 관수품을 조달하는 상인인 공인이 등장하였다. 공인은 시장에서 많은 물품을 구매해 상품 수요를 증가시켰으며, 이를 통해 상품 화폐 경제의 발달에 기여하였다.

오답피하기 ② 진대법은 2세기 말 고구려 고국천왕 때 실시된 빈민 구휼 제도였다.
③ 조선 세종 때부터 풍흉에 따라 조세를 차등 징수하는 연분9등법을 실시하였다.
④ 조선 후기에 정부가 균역법을 실시한 것과 관련이 있다. 농민의 군포 부담을 줄여 주면 군포 수입도 감소하기 때문에, 이를 보충하기 위해 지주에게 결작미를 거두게 되었다.
⑤ 전시과 제도에 대한 설명이다. 고려 시대에는 관리 등에게 관직 복무의 대가로 전지와 시지를 나누어 주는 전시과를 시행하였다.

5 운요호 사건과 갑신정변 사이의 사실 이해

문제분석 (가) 사건은 1875년에 일어난 운요호 사건이다. 일본은 조선을 개항시키기 위해 군함 운요호를 강화도에 파견하여 초지진과 영종도를 공격하였다. 자료에서 일본 선박, 영종도, 병인양요를 거친 뒤 10년 등이 운요호 사건을 알 수 있는 단서이다. (나)는 윌리엄 길모어가 갑신정변(1884)에 대해 쓴 글이다. 우편 연합, 축하연, 민영익의 상처, 급진파 등을 통해 (나) 사건은 갑신정변임을 알 수 있다. ③ 강화도 조약은 운요호 사건을 계기로 1876년에 체결되었다.

오답피하기 ① 비밀 결사로 결성된 신민회는 일제가 조작한 105인 사건으로 인해 1911년에 와해되었다.
② 1871년에 일어난 신미양요는 제너럴 셔먼호 사건을 빌미로 미군이 강화도를 침략한 사건이다.
④ 임술 농민 봉기는 세도 정치 시기에 삼정의 문란 등을 이유로 1862년에 일어난 사건이다.
⑤ 안중근은 초대 통감이었던 이토 히로부미를 1909년에 하얼빈역에서 처단하였다.

6 고부 농민 봉기의 배경 이해

문제분석 자료는 전봉준을 비롯한 고부 사람들이 작성한 사발통문이다. ② 고부 군수 조병갑은 농민을 동원하여 만석보를 쌓게 하고 수세를 강제로 징수하였다. 이에 분개한 농민들이 전봉준을 대표로 하여 개선을 요구하였으나 받아들여지지 않자, 1894년 1월 고부 관아를 습격하여 군수를 내쫓고 아전들을 징벌하였다. 이어 만석보를 허물고, 관아의 곡식을 풀어 가난한 이들에게 나누어 주었다. 이를 고부 농민 봉기라고 한다.

오답피하기 ① 고종의 즉위로 실권을 장악한 흥선 대원군은 경복

궁 중건에 필요한 비용을 마련하기 위해 원납전을 강제로 거두었다.
③ 방납의 폐단을 해결하기 위해 광해군 때 경기도에 대동법이 시행되었고, 숙종 때 평안도 등을 제외한 전국으로 확대되었다.
④ 신라 말 진골 귀족들이 왕위 쟁탈전을 벌였다.
⑤ 묘청이 서경 천도를 주장한 것은 고려 시대의 사실이다. 이자겸의 난 이후 묘청 등은 풍수지리설을 내세워 서경으로 도읍을 옮길 것을 건의하였다. 반면, 김부식 등 개경 귀족 세력은 이에 반대하였고, 묘청은 서경 천도가 어렵게 되자 난을 일으켰다.

7 일제의 민족 말살 통치 이해
문제분석 자료의 국가 총동원법은 1938년에 제정되었고, 이에 근거하여 실시된 국민 징용령은 1939년에 공포되었다. 일제는 전쟁 준비에 필요한 노동력을 수탈하고자 국민 징용령을 실시하여 광산이나 공장, 비행장 등의 전쟁 시설을 만드는 데 한국인을 동원하였다. ⑤ 일제는 1937년의 중일 전쟁을 계기로 한국인을 침략 전쟁에 동원하기 위해 민족 말살 정책을 본격적으로 추진하였다. 일제는 내선일체를 내세우고 황국 신민 서사 암송, 신사 참배, 궁성 요배, 일본식 성명 사용 강요 등을 통해 황국 신민화 정책을 강화하였다.
오답피하기 ① 지계는 일종의 근대적 토지 소유 증명 문서로 지계 발급은 대한 제국 시기에 이루어진 광무개혁의 내용에 해당한다.
② 회사 설립 시 조선 총독의 허가를 받도록 한 회사령은 1910년에 제정되었다.
③ 헌병 경찰 제도는 1910년대에 운영되었다가 1919년의 3·1 운동 이후 보통 경찰 제도로 바뀌었다.
④ 토지 조사 사업은 1910~1918년에 실시되었다.

8 물산 장려 운동 이해
문제분석 자료에서 조선 물산 애용, 1920년 평양에서 시작하였다는 내용을 통해 (가) 운동이 물산 장려 운동임을 알 수 있다. 물산 장려 운동은 조만식 등 민족주의 계열이 중심이 되어 평양에서 조선 물산 장려회 발기인 대회를 열면서 시작되었다. 이후 서울에서 조선 물산 장려회가 조직되면서 물산 장려 운동이 전국으로 확산되었다. ⑤ 물산 장려 운동은 일본 상품 배격, 토산품 애용, 금주·금연 등을 추진하였다.
오답피하기 ① 독립문 건립은 독립 협회가 주도하였다.
② 갑신정변, 동학 농민 운동 등에서 신분제 폐지를 주장하였다.
③ 고종 강제 퇴위 반대 운동을 벌인 단체로는 대한 자강회 등이 있다. 대한 자강회는 고종 강제 퇴위에 반발하다가 해산되었다.
④ 독립 협회는 러시아의 절영도 조차 요구를 저지하는 등 이권 수호 운동을 전개하였다.

9 6·25 전쟁의 영향 이해
문제분석 자료는 정전 협정의 일부 내용으로, 밑줄 친 '전쟁'은 1950년에 발발한 6·25 전쟁이다. ⑤ 1947년에 한반도 문제를 위해 제2차 미소 공동 위원회가 개최되었으나, 미국과 소련의 의견 차이로 결렬되었다.

오답피하기 ① 6·25 전쟁으로 남과 북으로 가족이 흩어지면서 이산가족 문제가 발생하였다.
② 6·25 전쟁으로 남북 간의 적대감이 심화되었다.
③ 이승만 정부와 김일성 정권은 6·25 전쟁 이후 독재 체제를 강화하였다.
④ 6·25 전쟁이 끝난 뒤 한미 상호 방위 조약이 체결되었다.

10 발췌 개헌의 내용 파악
문제분석 제1대 대통령 선거는 제헌 헌법에 따라 1948년 국회 간선제로 치러져 이승만이 대통령에 선출되었다. 제2대 대통령 선거는 1952년에 치러졌다. ② 1950년 5월에 치러진 제2대 국회의원 선거 결과 정부에 비판적인 무소속 출마자들이 대거 당선되었다. 이에 따라 제헌 헌법에 명시된 국회에서의 간접 선거 방식으로는 이승만의 대통령 당선이 어려워졌다. 이에 이승만 정부는 전쟁 기간이었던 1951년 12월 임시 수도 부산에서 자유당을 창당하였고, 1952년 7월 대통령 직선제를 골자로 하는 개헌안을 국회에서 통과시켰다. 발췌 개헌에 따라 치러진 대통령 선거에서 이승만이 제2대 대통령에 당선되었다.
오답피하기 ① 제헌 헌법은 1948년 5·10 총선거 결과 선출된 제헌 국회의원들이 제정하였다.
③ 5·10 총선거에 따라 구성된 제헌 국회에서 초대 대통령으로 이승만을 선출하였다.
④ 미소 공동 위원회는 1945년에 열린 모스크바 3국 외상 회의에 따라 1946년과 1947년에 두 차례에 걸쳐 개최되었으나, 미·소의 대립으로 성과를 거두지 못하였다.
⑤ 대한민국 임시 정부는 조소앙의 삼균주의를 바탕으로 보통 선거를 통한 민주 공화국의 수립 등을 규정한 대한민국 건국 강령을 1941년에 선포하였다.

1 ③	2 ⑤	3 ③	4 ⑤	5 ⑤
6 ①	7 ⑤	8 ③	9 ②	10 ①

1 위만 집권 이후 고조선의 변화 이해

문제분석 자료는 기원전 2세기 초 위만이 고조선의 왕위를 차지하는 상황을 정리한 것이다. 중국이 혼란한 상황에서 고조선 지역으로 이주한 위만은 유이민 세력을 규합하여 고조선의 왕위를 차지하였다. ③ 위만은 왕이 된 뒤 중국의 우수한 철기 문화를 본격적으로 수용하였다. 이에 고조선에서는 철제 무기나 농기구를 만들기 위한 수공업이 발달하고 상업도 성장하였다. 특히 고조선은 중국의 한과 한반도 중남부 지역의 세력 사이에서 중계 무역을 통해 크게 번성하였다.

오답피하기 ① 골품제는 신라의 신분제이다. 신라의 골품제는 지배층을 대상으로 하는 폐쇄적 신분제이다.
② 준왕은 위만에게 왕위를 빼앗긴 고조선의 왕이다. 위만에게 왕위를 빼앗긴 준왕은 무리를 이끌고 한반도 남부 지역으로 이동하였다고 한다.
④ 기원전 3세기경 고조선은 상, 대부, 장군 등의 중국식 관직명을 사용하였고, 기원전 4세기부터 중국의 연과 대립하였다. 이때 고조선은 연의 침입을 받아 영토를 상실하였다.
⑤ 태학, 경당은 고구려의 교육 기관이다. 고구려는 4세기 후반 소수림왕 때 인재 양성을 목적으로 중앙에 태학을 설립하였다.

2 고려의 중앙 정치 기구 파악

문제분석 ⑤ 고려 시대의 도병마사는 중서문하성과 중추원의 고위 관리가 모여 국방 문제를 논의하던 임시 기구였다. 원 간섭기에는 도평의사사로 개편되면서 국정 전반의 중요 사항을 결정하는 최고 권력 기구로 변모하였다.

오답피하기 ① 신라에서는 관리의 비리를 감찰하는 부서로 사정부가 설치되었으며, 특히 지방 세력을 견제하기 위해 외사정이 파견되었다.
② 정조는 탕평 정책을 추진하는 한편, 왕권 강화 정책으로 장용영을 설치하여 국왕의 군사적 기반을 강화하였다.
③ 세종은 집현전을 설치하여 학문과 정책을 연구하도록 하였다. 이후 단종을 몰아내고 즉위한 세조에 의해 집현전은 폐지되었다.
④ 조선 시대에 왕명 출납을 담당한 부서는 승정원이었다.

3 세종의 업적 이해

문제분석 자료에서 밑줄 친 '이 국왕'은 조선의 세종이다. 측우기, 자격루, 앙부일구 등의 과학 기구를 만든 장영실, 천문 역법 연구에 힘쓴 이순지가 활동했다는 등의 내용을 통해 알 수 있다. ③ 세종 때 『삼강행실도』가 편찬되었다. 『삼강행실도』는 모범이 될 만한 충신, 효자, 열녀를 뽑아 그 행적을 그림으로 그리고 설명을 덧붙여 만든 책이다.

오답피하기 ① 통일 신라의 신문왕은 국학을 설립하였다.
② 조선의 성종은 『경국대전』을 반포하였다.
④ 조선의 정조는 관리를 재교육하는 초계문신제를 실시하였다.
⑤ 고려의 성종은 최승로의 시무 28조를 수용하여 개혁 정책에 반영하였다.

4 조선 후기 풍속화의 이해

문제분석 자료의 (가)는 풍속화이다. 신윤복의 「단오풍정」, 양반의 풍류 생활과 부녀자의 풍습, 남녀 사이의 애정 등을 표현, 김홍도와 함께 대표적인 화가 등을 통해 알 수 있다. ⑤ 조선 후기에는 새로운 그림의 경향으로 진경산수화와 풍속화가 나타났는데, 풍속화는 일상적인 생활 모습을 사실적으로 그린 그림이다.

오답피하기 ① 조선 후기의 화가인 정선은 진경산수화를 개척하여 「인왕제색도」, 「금강전도」 등을 남겼다.
② 문벌 귀족은 고려 전기의 지배층으로 이들의 취향을 반영한 공예품은 청자가 대표적이다.
③ 조선 초기에 문인이 그린 그림으로는 강희안의 「고사관수도」가 대표적이다.
④ 사림의 정신 세계를 잘 표현한 그림으로는 16세기에 많이 그려진 매화, 난초 등 사군자 그림이 있다.

5 당백전의 특징 이해

문제분석 자료는 1868년에 최익현이 올린 상소로, 흥선 대원군의 원납전 징수 및 당백전의 폐해에 대해 비판하는 내용을 담고 있다. 자료에서 원납전의 징수, 물가 폭등, 피해 등을 통해 (가) 화폐는 당백전임을 알 수 있다. ⑤ 당백전은 경복궁 중건 비용을 마련하기 위해 발행된 것으로 명목상 가치가 기존 상평통보의 100배에 달하는 고액 화폐이다.

오답피하기 ① 건원중보는 고려 성종 때 만들어졌다.
② 고려 시대에 발행된 은병(활구)은 목이 짧고 배가 부른 병 모양의 화폐이다.
③ 은 본위 화폐 제도는 제1차 갑오개혁 시기에 실시되었고, 당백전은 흥선 대원군이 집권하던 시기에 주조되었다.
④ 제1차 한일 협약(1904)으로 파견된 재정 고문 메가타가 화폐 정리 사업을 주도하였다. 이는 백동화 등을 일본 제일 은행권으로 교환하도록 한 것이다.

6 을사늑약의 체결 시기 파악

문제분석 ① 러일 전쟁에서 전세가 유리해진 일본의 요구로 제1차 한일 협약이 체결되었다(1904). 이후 러일 전쟁에서 승리한 일본은 1905년에 을사늑약을 강요하여 대한 제국의 외교권을 박탈하고 통감부를 설치하였다. 이후 고종은 을사늑약의 부당함을 주장하며 이를 세계에 알리기 위해, 1907년 네덜란드 헤이그에 이상설, 이준, 이위종을 특사로 파견하였다.

오답피하기 ② 일본이 일으킨 운요호 사건을 계기로 강화도 조약이 체결되었다(1876).
③ 1910년 불법적인 한국 병합 조약이 체결되어 대한 제국의 국권

이 피탈되었다.

④ 6·25 전쟁 이후인 1953년에 한미 상호 방위 조약이 체결되었다.

⑤ 1882년에 조미 수호 통상 조약이 체결되었다.

7 3·1 운동의 영향 이해

문제분석 자료에서 고종 황제의 장례식장에 나가 식장 배치 상황을 돌아보았다고 한 점, 일제가 헌병 경찰과 군인들을 동원하여 탄압하였으며 주요 가담자에게 태형(1910년대에 적용된 형벌)을 가하였다고 한 점 등을 통해 해당 민족 운동은 1919년에 일어난 3·1 운동임을 알 수 있다. ⑤ 3·1 운동은 일제의 무자비한 탄압으로 실패로 돌아갔다. 그러나 한국인들이 독립운동의 구심점이 필요하다는 인식을 키우는 데 영향을 끼쳐, 각지의 단체가 통합된 대한민국 임시 정부가 수립될 수 있었다.

오답피하기 ① 대한국 국제는 1899년에 반포되었으며, 대한 제국이 전제 군주제에 기반하였음을 천명하였다.

② 독립문은 독립 협회가 성금을 모아 건립하였다.

③ 서희의 외교 담판은 고려와 거란의 충돌 및 강동 6주 지역 확보와 관련이 있다.

④ 이만손의 영남 만인소는 황준헌이 저술한 『조선책략』이 국내에 유입되자 그 내용을 비판하면서 나오게 되었다.

8 민립 대학 설립 운동 이해

문제분석 자료의 경성 제국 대학 관제 제정, 조선 교육회에서 추진 등을 통해 밑줄 친 '이 운동'이 민립 대학 설립 운동임을 알 수 있다. ③ 민립 대학 설립 운동은 이상재, 이승훈 등이 주도하여 1920년대 민족 실력 양성 운동의 일환으로 전개되었다. 이 운동은 한국인의 고등 교육을 실현하기 위해 모금 운동을 전개하여 대학을 설립하는 것이 목적이었다.

오답피하기 ① 갑신정변(1884)은 김옥균, 홍영식, 박영효 등의 급진 개화파가 주도하여 우정총국 개국 축하연을 기회로 일으킨 정치 개혁 운동이다.

② 1894년에 일어난 동학 농민 운동 당시 전주성을 점령한 동학 농민군은 정부와 전주 화약을 체결한 뒤 전라도 각지에 집강소를 설치하여 폐정 개혁을 추진하였다.

④ 1889년에 황해도 관찰사 조병철과 함경도 관찰사 조병식이, 1890년에 황해도 관찰사 오준영 등이 방곡령을 선포하였다. 그러나 일본은 방곡령을 내리기 1개월 이전에 통보하도록 규정되어 있는 조일 통상 장정을 구실로 방곡령 취소와 배상금을 요구하였고, 조선 정부는 이에 굴복하였다.

⑤ 3·1 운동으로 일본의 식민 통치 방식이 무단 통치에서 이른바 문화 통치로 바뀌었다.

9 조선 건국 준비 위원회의 특징 이해

문제분석 자료는 여운형이 1945년에 발표한 담화문과 관련된 내용이며, (가) 조직은 조선 건국 준비 위원회이다. 여운형이 새 정권이 없는 상태에서 건국 준비를 위해 조직했다는 등의 내용을 통해 알 수 있다. ② 조선 건국 준비 위원회는 여운형과 안재홍 중심의 좌우 합작 단체로 조직되었다.

오답피하기 ① 대한민국 임시 정부가 중국의 충칭에 정착한 후, 한국 광복군을 창설(1940)하였다.

③ 독립 협회는 모금 운동을 통해 독립문을 건립하였다.

④ 반민족 행위 처벌법에 의해 반민족 행위 특별 조사 위원회(반민특위)가 구성되었다.

⑤ 모스크바 3국 외상(외무 장관) 회의에 따라 미소 공동 위원회가 설치되었다.

10 1950년대 경제 상황 파악

문제분석 표는 1950년대 원당의 수입량과 원조량을 나타낸 것이다. ① 6·25 전쟁 이후 1950년대 한국의 경제는 미국의 원조에 의존하였다. 미국으로부터 도입된 원조 물자는 주로 식료품, 의복 등의 생활필수품과 밀가루, 설탕, 면화 등과 같은 소비재 산업의 원료에 집중되었다. 이러한 원조 경제 속에 제분, 제당, 면방직 공업의 삼백 산업이 발달하였다.

오답피하기 ② 1920년부터 일제는 일본의 부족한 쌀을 한국에서 확보하려는 시도로 산미 증식 계획을 추진하였다.

③ 박정희 정부 시기인 1970년대 전반에 제1차 석유 파동이 일어났다.

④ 1910년대 일제는 지세의 공정한 부과와 근대적 토지 소유권 확립이라는 명분을 내세우며 토지 조사 사업을 실시하였다. 이를 통해 조선 총독부는 식민 지배에 필요한 재정을 확보하고 미신고 토지나 국·공유지를 차지하였다.

⑤ 박정희 정부 시기인 1960년대에 한국은 베트남 전쟁 특수를 누리며 경제 성장을 이루었다.

| 1 ④ | 2 ④ | 3 ② | 4 ④ | 5 ⑤ |
| 6 ① | 7 ④ | 8 ① | 9 ④ | 10 ⑤ |

1 장수왕의 업적 파악

문제분석 지도에서 국내성에서 평양으로의 천도 방향을 통해 (가) 국왕은 장수왕임을 알 수 있다. ④ 광개토 대왕의 뒤를 이어 고구려의 전성기를 이룬 장수왕은 남진 정책을 추진하여 국내성에서 평양으로 천도를 단행하였고, 이후 백제의 수도 한성을 함락하는 등 한강 유역까지 영토를 확장하였다.

오답피하기 ① 신라 문무왕이 삼국 통일을 달성하고 민족의 통합을 도모하였다.
② 고려의 윤관은 별무반을 편성하여 여진을 정벌하고 동북 9성을 축조하였다.
③ 신라 법흥왕은 불교를 공인하고, 골품제를 정비하였고, 금관가야를 병합하였다.
⑤ 조선 세종 때 여진을 몰아내고 압록강과 두만강 지역에 4군과 6진 지역을 개척하였다.

2 별무반 편성의 목적 이해

문제분석 자료에서 윤관의 건의로 설치되었고, 신기군, 신보군, 항마군으로 편성되었다는 내용을 통해 (가) 부대는 별무반임을 알 수 있다. ④ 별무반은 기병으로 이루어진 여진의 침입에 대처하기 위해 편성된 특수 부대이다. 윤관은 별무반을 이끌고 여진을 정벌한 후 동북 9성을 설치하였다.

오답피하기 ① 백강 전투는 백제가 멸망한 후 663년에 백제 부흥군과 왜의 지원군이 나당 연합군과 벌인 전투이다.
② 귀주 대첩은 거란의 3차 침입 당시 강감찬이 이끈 고려군이 거란을 물리친 전투이다.
③ 조선 세종 때 여진을 몰아내고 4군 6진 지역을 개척하였다.
⑤ 삼별초에 대한 설명이다. 삼별초는 고려 정부가 몽골과 강화 후 개경으로 환도하자 이에 반대하면서 진도와 제주도로 근거지를 옮기며 몽골에 맞서 항쟁하였다.

3 무오사화의 배경 파악

문제분석 자료는 김종직의 「조의제문」이 문제가 되어 발생한 무오사화에 대한 설명이다. 조선 성종은 훈구 세력을 견제하기 위해 김종직을 비롯한 사림을 적극 등용하였다. 이를 계기로 중앙 정치에 본격적으로 진출한 사림은 주로 3사에서 언론과 학술을 담당하며 훈구 세력의 독주와 비리를 견제하였다. ② 성종 때에는 사림과 훈구 세력이 균형을 이루었으나, 연산군이 즉위하자 훈구 세력이 사림을 공격하기 시작하면서 사화가 발생하였다.

오답피하기 ① 조선 후기 현종 때에 발생한 예송은 서인과 남인의 대립을 심화시켰다.
③ 고려 시대에 일어난 무신 정변의 배경에 해당한다. 무신 정변은 문벌 귀족의 무신 차별에 불만을 품은 무신들이 정변을 일으켜 권력을 장악한 사건이다.
④ 고려 시대에 묘청 등 서경 세력이 풍수지리설을 내세워 서경 천도 운동을 전개했으나 개경 문벌 귀족이 반대하면서 두 세력의 대립이 심화되었다.
⑤ 개항 이후 조선 정부가 개화 정책을 추진하는 과정에서 개화파와 위정척사파의 대립이 나타났다.

4 영조의 활동 파악

문제분석 자료에서 군포 1필을 감한다는 것과 신문고를 설치하는 것을 통해 영조가 실시한 정책임을 알 수 있다. ④ 영조는 붕당 정치가 변질되어 일당 전제화의 경향이 강화되는 가운데 탕평파를 등용하여 정국을 운영하는 등의 탕평 정치를 통해 이를 해소하고자 하였다.

오답피하기 ① 고구려 장수왕과 관련된 탐구 활동이다.
② 신라 진흥왕과 관련된 탐구 활동이다.
③ 신라 지증왕과 관련된 탐구 활동이다.
⑤ 조선의 광해군, 인조와 관련된 탐구 활동이다.

5 강화도의 역사 파악

문제분석 자료에서 병인양요 때 프랑스가 외규장각 도서를 약탈한 사건이 일어난 곳, 몽골의 침입 때 고려 정부가 임시 수도로 삼았던 곳, 유네스코 세계 문화유산인 고인돌이 있는 곳이라는 힌트를 통해 (가)는 강화도와 관련된 역사적 사실임을 알 수 있다. ⑤ 우리나라 최초의 근대적 조약은 1876년에 강화도에서 일본과 맺은 조일 수호 조규(강화도 조약)이다.

오답피하기 ① 영국은 러시아를 견제한다는 구실로 1885년에 우리나라의 섬 거문도를 불법 점령하였다(거문도 사건).
② 5·18 민주화 운동은 1980년 광주에서 일어났다.
③ 6·25 전쟁 중인 1952년에 대통령 직선제 등을 내용으로 한 발췌 개헌이 이루어진 곳은 당시 임시 수도였던 부산이다.
④ 1900년의 대한 제국 칙령 제41호는 독도가 우리 영토임을 선포한 것이다.

6 신민회의 활동 파악

문제분석 자료는 남강 이승훈 선생에 대한 설명이다. 자료에서 안창호 등이 조직, 태극 서관 경영, 오산 학교 개교 등을 통해 밑줄 친 '이 단체'가 신민회임을 알 수 있다. ① 신민회는 국권이 상실될 위기에 처하자 실력 양성의 한계를 깨닫고, 장기적인 무장 독립 투쟁을 위해 국외에 독립운동 기지 건설에 나서 남만주 삼원보 지역에 경학사를 조직하고 신흥 강습소를 설립하였다.

오답피하기 ② 의열단은 1919년에 김원봉 등을 중심으로 만주에서 결성된 비밀 결사로, 신채호가 작성한 「조선 혁명 선언」을 활동 지침으로 삼았다.
③ 대한민국 임시 정부는 국내와 연락하여 효과적인 독립운동을 전개하고자 연통제, 교통국 등을 운영하였다.
④ 일제가 황무지 개간권을 요구하며 토지를 약탈하려 하자, 1904년

에 결성된 보안회는 반대 운동을 전개하여 이를 철회시켰다.
⑤ 대한 자강회는 헌정 연구회를 계승한 애국 계몽 운동 단체로, 고종 강제 퇴위 반대 운동을 전개하다가 해산당하였다.

7 1910년대의 사회 모습 파악

문제분석 자료는 1910년대 일제가 실시한 헌병 경찰제와 관련된 법령이다. 일제는 헌병에게 치안 유지와 관련된 일반 경찰 업무를 맡겼다. ④ 일제는 무단 통치 시기에 관리와 교원에게 제복을 입히거나 칼을 차게 하였다.

오답피하기 ① 1941년에 일제는 황국 신민화 정책의 일환으로 소학교의 명칭을 국민학교로 바꾸었다.
② 조선은 개항 이후 개화 정책을 추진하면서 청에 영선사를 파견하였다.
③ 별무반은 여진 정벌을 위해 고려 숙종 때 윤관의 건의를 수용하여 편성된 부대이다.
⑤ 조선 후기 세도 정치 시기에 세도 가문의 횡포와 삼정의 문란, 평안도 지역민에 대한 차별 등을 배경으로 홍경래의 난이 일어났다.

8 문자 보급 운동의 전개 과정 이해

문제분석 자료에서 문자 보급가, 아는 것이 힘이로다 배워야사네, 기억니은으로부터, 배워알세 글자를 등을 통해 (가) 운동은 조선일보사에서 전개한 문자 보급 운동임을 알 수 있다. ① 1920년대 말부터 민족주의 진영은 궁핍한 농민들에게 생활을 향상시킬 수 있는 능력을 키워 주는 것이 시급하다고 판단하여 농촌 계몽 운동을 전개하였다. 언론 기관이 중심이 되어 전개된 한글 보급을 통한 문맹 퇴치 운동도 그 일환이었다. 조선일보사는 1929년부터 문자 보급 운동을 전개하였으며, 동아일보사는 1931년부터 네 차례에 걸쳐 브나로드 운동을 전개하였다.

오답피하기 ② 1907년에 전개된 국채 보상 운동은 통감부의 방해와 탄압으로 실패하였다.
③ 국채 보상 운동은 일본의 강요로 도입한 차관 1,300만 원을 갚아 일본의 경제적 예속에서 벗어나자는 취지로 1907년 대구에서 시작되어 전국으로 확산되었다.
④ 물산 장려 운동은 토산품 애용 운동으로 '내 살림 내 것으로', '조선 사람 조선 것' 등의 구호를 내세웠다.
⑤ 일본인 남학생이 한국인 여학생을 희롱한 사건을 계기로 한·일 학생 간의 충돌이 발생하여 광주 학생 항일 운동이 일어났다(1929).

9 모스크바 3국 외상 회의의 이해

문제분석 한반도의 신탁 통치 문제를 논의하였던 (가) 회의는 모스크바 3국 외상 회의이다. ④ 이 회의에는 미국, 소련, 영국의 외무장관들이 참여하여 한반도 문제를 논의하였다. 이 회의에서 논의된 신탁 통치 문제는 즉시 독립을 바라던 한국인의 거센 저항을 받았다. 특히 김구를 비롯한 우익 세력들은 신탁 통치 반대 국민 총동원 위원회를 조직하고 성명서를 발표하였다.

오답피하기 ① 5·16 군사 정변 이후 군정을 실시하던 국가 재건 최고 회의에 해당한다.

② 대한민국 임시 정부의 독립운동 노선의 통일과 방향을 논의하기 위해 열었던 국민 대표 회의에 해당한다.
③ 광복 직전 미국·영국·소련 3국의 대표가 모였던 얄타 회담의 내용이다.
⑤ 제1차 세계 대전의 전후 처리를 위해 파리 강화 회의가 열렸다.

10 박정희 정부의 경제 정책 파악

문제분석 왼쪽 위 자료는 1967년에 시작된 제2차 경제 개발 5개년 계획을 기념하는 우표이고, 왼쪽 아래 자료는 1977년에 수출액 100억 달러 달성을 기념하여 발행된 우표이다. 오른쪽 자료는 1973년의 포항 종합 제철 공장 준공을 기념하는 우표이다. 박정희 정부는 1962년부터 1971년까지 제1, 2차 경제 개발 5개년 계획을 추진하여 경공업을 육성한 데 이어, 1972년부터는 제3, 4차 경제 개발 5개년 계획을 추진하여 중화학 공업을 육성하였다. 그 결과 1977년에 수출액 100억 달러를 달성할 수 있었다. ⑤ 박정희 정부는 제2차 경제 개발 5개년 계획(1967~1971)을 추진하면서 시멘트, 전력 등 기간 산업 육성과 도로, 항만 등 사회 간접 자본의 확충에 힘을 기울였다. 그 결과 1970년에는 경부 고속 국도(도로)가 개통되었다.

오답피하기 ① 김대중 정부 시기인 2000년의 남북 정상 회담에서 발표한 6·15 남북 공동 선언에 따라 개성 공단 조성이 합의되었다. 이후 노무현 정부 때 개성 공단이 조성되었다.
② 삼백 산업은 6·25 전쟁 후 미국의 경제 원조에 따라 밀(제분), 사탕수수(제당), 면화(면방직)를 원료로 발달한 산업을 말한다.
③ 농지 개혁법은 이승만 정부 때인 1949년에 제정되었다.
④ 금융 실명제는 김영삼 정부 때 전면 시행되었다.

04회 미니모의고사

1 ①	2 ④	3 ③	4 ③	5 ②
6 ③	7 ④	8 ④	9 ③	10 ④

1 신문왕의 업적 파악

문제분석 자료에서 9주 정비, 녹읍을 혁파하고 해마다 곡식을 차등 있게 내려 주는 것 등을 통해 신문왕이 추진한 정책임을 파악할 수 있다. 통일 신라의 신문왕은 문무 관리에게 관료전을 지급하고 귀족의 경제 기반이었던 녹읍을 폐지하였다. ① 신문왕은 국학을 설치하여 유학 교육을 장려하였다.

오답피하기 ② 신라의 법흥왕은 금관가야를 병합하였다.
③ 조선 성종 때 『경국대전』이 완성되어 반포되었다.
④ 고려 태조(왕건)는 사심관 제도와 기인 제도를 실시하였다.
⑤ 백제 무령왕은 22담로에 왕족을 파견하였다.

2 묘청의 서경 천도 운동 이해

문제분석 자료에서 묘청의 난 진압의 선봉에 나섰다는 점을 통해 (가) 인물은 김부식임을 알 수 있다. ④ 묘청 등 서경 세력은 풍수지리설을 앞세워 서경 천도를 적극 추진하고 '칭제건원(황제로 칭하고 독자적 연호 사용)', '금국 정벌' 등을 주장하였다. 그러나 김부식 등 개경 문벌 귀족의 반대로 서경 천도가 불가능해지자, 묘청 등은 반란을 일으켰다. 이에 김부식은 관군을 이끌고 묘청 세력을 진압하였다. 김부식은 대표적인 개경 문벌 귀족으로 유교 사상에 입각한 민생 안정을 내세우며 금과의 전쟁을 반대하였다.

오답피하기 ① 화백 회의는 신라의 귀족이 모여 대표를 선출하고 국가의 중요 정책을 결정하는 귀족 회의 기구이다.
② 고려 말 충렬왕 때 안향은 원으로부터 성리학을 들여와 고려에 소개하였다.
③ 후금이 조선을 침략한 정묘호란이 발생하자 정봉수와 이립 등이 의병을 일으켜 후금과 맞서 싸웠다.
⑤ 조선 후기 실학자인 유형원은 『반계수록』을 통해 균전론을 주장하였다.

3 의정부 서사제의 특징 파악

문제분석 자료는 조선 시대의 의정부 서사제에 대한 내용이다. 의정부의 재상들이 6조의 업무를 먼저 심의한 후 국왕에게 보고하고, 국왕의 지시도 의정부에서 6조에 전달하여 시행한다는 내용을 통해 알 수 있다. ③ 의정부 서사제는 왕권과 신권의 조화에 기여하였다.

오답피하기 ① 신라 말에 6두품 세력은 골품제 사회를 비판하며 지방의 호족과 연계하여 새로운 사회 건설을 모색하였다.
② 6조 직계제의 실시로 왕권이 강화되고 의정부의 권한이 약화되었다.
④ 진골 귀족은 신라의 지배층을 형성한 골품이다. 진골 귀족 세력 등의 주도로 신라의 정치 제도가 운영되었다.

⑤ 고려 시대의 음서와 공음전 등은 문벌 귀족 사회의 성립과 발전에 기여하였다.

4 조선 정조의 업적 파악

문제분석 자료는 장용영의 훈련 및 규장각 육성과 관련된 내용으로 밑줄 친 '국왕'은 조선의 정조이다. ③ 정조는 자신의 권력과 정책을 뒷받침하기 위해 관리를 재교육하는 초계문신제를 실시하였으며, 친위 부대인 장용영을 설치하였다.

오답피하기 ① 조선의 영조가 군역의 폐단을 해결하기 위해 균역법을 시행하였다.
② 조선의 중종은 연산군을 몰아내는 반정을 통해, 인조는 광해군을 몰아내는 반정을 통해 즉위하였다.
④ 고려의 광종이 노비안검법을 실시하였다.
⑤ 전민변정도감은 고려 시대 공민왕 등이 설치한 개혁 기구이다.

5 위정척사 운동의 전개 과정 이해

문제분석 자료는 1860년대, 1870년대, 1880년대에 각각 전개되었던 위정척사 운동의 활동 내용이다. 서양 열강의 통상 요구, 통상 반대 운동 등의 내용을 통해 1860년대 상황임을 알 수 있다. 강화도 조약의 체결을 통해 (가)는 1870년대 상황임을 알 수 있다. 미국과의 수교 반대, 영남 만인소 등의 내용을 통해 1880년대 상황임을 알 수 있다. ② 1870년대에 최익현 등은 강화도 조약 체결을 전후하여 일본도 서양 세력과 같다는 왜양일체론을 주장하며 개항 반대 운동을 전개하였다.

오답피하기 ① 을사늑약 체결 이후 을사의병이 일어났다. 을사의병 세력은 을사늑약의 폐기 등을 주장하였다.
③ 병자호란 중 인조가 남한산성으로 피신하여 항전하고 있을 때, 주전파는 청에 항복하지 말고 항전을 지속해야 한다고 주장하였다.
④ 이만손을 중심으로 한 영남 지방의 보수적 유생들은 『조선책략』의 유포와 미국과의 수교 움직임에 반발하여 만인소를 올렸다(영남 만인소).
⑤ 일제가 명성 황후를 시해하는 만행(을미사변)을 저지르고 을미개혁을 추진하자 이에 저항하여 을미의병이 일어났다.

6 정미의병 당시의 상황 이해

문제분석 자료에서 13도 연합 의병이 서울 진공 작전을 개시하였다는 내용을 통해 정미의병의 활동과 1908년의 상황임을 알 수 있다. 또한 '전 시위대 관리였던 현덕호 의병 부대'의 활동을 통해 일제에 의해 1907년 대한 제국의 군대가 강제 해산된 이후의 사실이라는 것도 알 수 있다. ③ 일제는 1905년 을사늑약으로 대한 제국의 외교권을 빼앗고 통감부를 설치하였다. 이후 대한 제국이 국권을 빼앗긴 1910년까지 통감이 대한 제국의 내정을 간섭하고 외교를 장악하였다.

오답피하기 ① 집강소는 1894년의 동학 농민 운동 당시 설치되었다.
② 별기군은 조선이 개화 정책을 추진하면서 1881년에 창설한 신식 군대였으나, 1882년에 일어난 임오군란을 계기로 해체되었다.

④ 조사 시찰단은 조선이 1881년에 일본의 정세를 파악하고 개화 정책에 대한 정보를 얻기 위해 일본에 파견한 사절단이다.
⑤ 흥선 대원군에 의한 서원 철폐는 19세기 후반에 이루어졌다.

7 일제의 토지 조사 사업 파악

문제분석 자료에서 조선 총독부가 1910년대에 실시하였으며, 신고주의에 입각하여 토지 소유권을 확립하려는 명분을 내세웠다고 한 것을 통해 (가)는 일제가 실시한 토지 조사 사업임을 알 수 있다. 1912년 토지 조사령이 제정되면서 본격적으로 추진된 토지 조사 사업은 한국인 소작농들이 전통적으로 인정받았던 경작권을 부정하는 등 많은 피해를 가져왔다. ④ 토지 조사 사업을 통해 조선 총독부는 보다 원활하게 지세를 징수할 수 있게 되었다. 그 결과 조선 총독부의 수입이 늘어나게 되었다.

오답피하기 ① 전민변정도감은 고려 시대에 설치된 기구였다.
② 농광 회사는 대한 제국 시기에 황무지를 개간하기 위해 설립되었다.
③ 문무 관리에게 전지와 시지를 지급한 제도는 고려의 전시과 제도에 해당한다.
⑤ 공인은 17세기 대동법의 실시에 따라 등장한 상인이었다.

8 농민 운동 이해

문제분석 자료는 1920년대 대표적 농민 운동이었던 암태도 소작 쟁의에 대한 것이다. 1920년대 농민 운동은 소작료 인하와 소작권 이동 반대 등을 요구하였다. 암태도의 소작 농민들은 추수 거부, 소작료 불납 동맹 등으로 지주와 맞서 투쟁을 벌여 소작료를 낮추는 성과를 거두었다. 1930년대에는 농민과 노동자들이 사회주의 세력과 연계하여 항일 투쟁을 강화하였다. ④ 3·1 운동은 1919년, 중일 전쟁은 1937년에 일어났다.

9 제헌 헌법의 내용 파악

문제분석 자료에서 단기 4281년 7월 12일에 제정되었다는 내용을 통해 밑줄 친 '이 헌법'은 제헌 헌법임을 알 수 있다. ③ 제헌 헌법에는 대통령을 국회에서 선출하는 규정이 들어 있다.

오답피하기 ① 4·19 혁명의 결과 개정된 헌법에서 내각 책임제를 채택하였다.
② 1952년의 제1차 개헌(발췌 개헌)과 4·19 혁명의 결과 1960년에 마련된 헌법에서 양원제 국회 구성을 채택하였다.
④ 5·18 민주화 운동을 탄압하고 정권을 장악한 전두환 등 신군부 세력에 의해 대통령의 임기를 7년으로 하는 헌법이 마련되었다.
⑤ 1969년에 개정된 3선 개헌안의 내용이다.

10 산업화 속에 나타난 노동 문제 파악

문제분석 자료는 전태일 분신 사건(1970)과 관련된 내용이다. ④ 1960년대에 노동 집약적인 경공업 육성으로 수출이 증가하였다. 급속한 산업화 과정에서 노동자의 수가 크게 증가하였으나, 노동자들은 저임금과 장시간 노동 환경 속에서 근무하였다. 이러한 상황에서 노동자의 권리를 요구한 전태일 분신 사건이 일어났다.

오답피하기 ① 1987년에 일어난 6월 민주 항쟁 이후 노동 운동이 크게 활성화되었다.
② 일제는 국가 총동원법을 제정(1938)하여 인력과 물자의 수탈을 강화하였고, 전쟁 준비에 필요한 노동력을 수탈하고자 국민 징용령을 실시하였다.
③ 북한에서는 1980년대 이후 부분적인 개방 정책을 추진하였는데, 이를 위해 합영법 등을 제정하였다.
⑤ 1920년대에 백정들은 조선 형평사를 조직하여 백정에 대한 차별 철폐를 요구하는 형평 운동을 전개하였다.

| 1 ① | 2 ⑤ | 3 ③ | 4 ② | 5 ① |
| 6 ⑤ | 7 ② | 8 ⑤ | 9 ③ | 10 ① |

1 발해의 역사적 의의 파악

문제분석 자료의 동모산 부근에서 건국, 당의 빈공과에 급제, 인안, 대흥 등의 독자적인 연호 등을 통해 (가) 국가는 발해임을 알수 있다. ① 중국은 동북공정을 통해 발해를 중국의 역사에 포함시키려 하였으나, 고구려 계승 의식을 분명히 한 발해는 우리나라의역사에 포함된 국가이다. 이는 발해가 일본에 보낸 국서에 고려 국왕임을 내세운 점, 온돌 장치나 무덤 양식 등에서 고구려 문화와 유사한 점 등을 통해서도 알 수 있다.

오답피하기 ② 안시성 전투는 고구려가 당의 침입을 격퇴한 전투이다.
③ 대마도 정벌은 고려 말과 조선 초에 이루어졌다. 특히 조선 세종때 이종무는 왜구의 소굴인 대마도를 정벌하여 왜구의 근절을 약속받고 돌아왔다.
④ 나당 연합군의 공격으로 멸망한 국가는 백제와 고구려이다. 발해는 거란의 침입으로 멸망하였다.
⑤ 9주 5소경은 통일 신라의 지방 행정 조직이다.

2 무신 정권 시기의 농민·천민 봉기의 배경 이해

문제분석 자료는 무신 정권 시기에 일어난 하층민의 봉기로 망이·망소이의 봉기와 김사미·효심의 봉기이다. ⑤ 무신 정권기에권력 쟁탈전이 심해지면서 중앙의 지방 통제가 약화되었다. 무신은자신들의 권력 기반을 강화하기 위해 농민의 토지를 불법적으로 빼앗았으며 지방관들도 수탈을 일삼았다. 또한 하층민 중에 지배층이된 자들이 등장하면서 신분제가 흔들리자 농민·천민이 봉기를 일으켰다.

오답피하기 ① 조선 시대에 공물 징수 과정에서 방납의 폐단이 심화되면서 농민의 부담이 가중되었다.
② 조선 시대에 붕당 정치가 변질되어 폐단이 나타나자, 영조와 정조는 탕평 정치를 실시하였다.
③ 조선 후기 지배층의 수탈과 잦은 재난, 질병 속에서 농민의 고통이 가중되자 새로운 시대를 염원하는 예언 사상, 동학, 천주교 등이 확산되었다. 이에 정부는 유교적 질서를 부정한다는 이유 등을들어 천주교, 동학을 탄압하였다.
④ 조선 후기에 세도 정치가 전개되어 정치 기강이 해이해지고 지방관의 수탈이 심해져 삼정이 문란해지자, 농민은 봉기(홍경래의난, 임술 농민 봉기) 등의 방법으로 지배 체제에 저항하였다.

3 병자호란의 이해

문제분석 자료에서 남한산성, 척화론, 삼전도비 등을 통해 (가) 전쟁은 1636년에 청의 침략으로 일어난 병자호란임을 알 수 있다. ③조선 조정은 남한산성에서 고립된 채 버티다가, 결국 항복하고 청과 군신 관계를 맺었다.

오답피하기 ① 강감찬의 귀주 대첩은 고려에서 거란의 3차 침입때 있었다.
② 명이 지원군을 보낸 시기는 일본이 조선을 침략한 임진왜란 때이다.
④ 고구려의 연개소문은 정변을 일으켜 권력을 장악하고 당에 대해강경한 외교 정책을 폈다. 이에 당이 고구려를 침략하였고, 고구려는 안시성 전투에서 승리를 거두었다.
⑤ 삼별초는 몽골의 고려 침략에 맞서 항전하였다. 고려 정부가 몽골과 강화하여 개경으로 환도하자, 삼별초는 이에 반대하여 진도와제주도로 근거지를 옮기며 항전하였다.

4 조선 후기 광업 발달 배경 이해

문제분석 자료에서 정부가 민간인에게 광산 채굴을 허용하여 민영광산이 발달하였다는 내용을 통해 조선 후기의 광업과 관련된 것임을 알 수 있다. ② 이 시기에는 청과의 무역이 확대되면서 은의 수요가 증가하여 은광 개발이 활기를 띠었다. 이에 정부는 민간인의은광 설치를 허가하고 세금을 걷는 방식을 취하였다.

오답피하기 ① 모내기법으로 노동력이 절감되면서 광작이 나타났다.
③ 사상의 활동이 활발해지면서 상업 활동의 자유를 확대하기 위해금난전권이 폐지되었다.
④ 상품 작물이 조선 후기에 널리 재배되면서 이를 통해 수입을 올리는 농민들이 나타났다.
⑤ 은본위 화폐제는 갑오개혁 때 실시되었다.

5 별기군의 이해

문제분석 자료에서 개화 정책이 추진되던 1881년에 창설되었고,구식 군대보다 좋은 대우를 받았으며, 일본인 교관에게 훈련을 받았다는 내용을 통해 (가)는 별기군임을 알 수 있다. ① 차별 대우에불만을 가진 구식 군인들이 일으킨 임오군란 때 재집권한 흥선 대원군은 별기군을 폐지하고 5군영을 복구하는 등 개화 정책을 중단시켰다.

오답피하기 ② 1880년대에 개화 정책이 추진되면서 5군영은 무위영과 장어영의 2영으로 축소되고 신식 군대인 별기군이 새로이 창설되었다.
③ 1907년에 일본은 헤이그 특사 파견을 구실로 고종 황제를 강제퇴위시키고 한일 신협약(정미 7조약)을 체결한 뒤 대한 제국의 군대를 해산시켰다. 이에 해산된 군대가 정미의병에 가담하여 전투력을 크게 높였다.
④ 별기군은 임오군란 때 폐지되었다. 동학 농민 운동 때 청군과 일본군이 출병하였는데, 일본군은 경복궁을 기습 점령한 후 청일 전쟁을 도발하고 관군과 함께 동학 농민 운동을 진압하였다.
⑤ 1866년의 병인양요와 1871년의 신미양요는 흥선 대원군 집권시기에 일어났다. 흥선 대원군이 물러나고 고종이 친정을 하면서강화도 조약이 체결되었고, 이후 개화 정책이 추진되면서 별기군이창설되었다.

6 상권 수호 운동 이해

문제분석 자료에서 수집 자료에 해당하는 내용 – 경강상인의 경쟁력 강화 노력(증기선 구입 등), 객주, 여각 등의 상회사 설립(대동 상회, 장통 상회 등), 시전 상인들의 황국 중앙 총상회 조직 (1898) – 은 모두 개항 이후에 전개된 상권 수호 운동과 관련이 있다. ⑤ 상권 수호 운동은 개항 이후 조청 상민 수륙 무역 장정과 조일 통상 장정 등의 체결에 따라 외국 상인들의 조선 내륙 진출이 허용되면서, 조선 상인들이 활동에 많은 어려움을 겪게 된 상황을 배경으로 전개되었다.

오답피하기 ① 방납의 폐단을 해결하기 위한 대동법의 시행은 광해군 때부터 이루어졌다.
② 원 간섭기인 13~14세기에는 고려의 많은 물자가 원으로 유출되었고, 공녀가 징발되었다.
③ 국가 총동원법은 1938년에 공포되었으며, 이를 통해 일제는 한국인을 전쟁에 동원하고 물자를 수탈하였다.
④ 세도 정치 시기는 19세기 순조~철종 대에 이르는 60여 년인데, 제시된 자료의 내용 이전에 해당된다.

7 1920년대 경제 상황 이해

문제분석 자료는 한국으로 유입되는 일본 상품에 대한 관세가 폐지되면서 우리 산업 분야에 예상되는 동향을 분석해 놓은 글이다. 1920년대에 일본 상품에 대한 관세가 철폐되면서 일본 대기업의 상품이 보다 저렴한 가격으로 한국에 침투하게 되었다. ② 산미 증식 계획은 1920년부터 일제가 추진하였으며 한반도에서 쌀 생산을 늘려 더 많은 쌀을 일본으로 가져가 일본의 식량 사정을 개선하고자 한 정책이었다.

오답피하기 ① 지계는 광무개혁 때 양전 사업을 실시하면서 발급되었다.
③ 군국기무처는 제1차 갑오개혁을 주도하였다.
④ 러시아 공사관에서 경운궁으로 돌아온 고종의 황제 즉위는 1897년의 일이다.
⑤ 갑신정변 직후 영국은 러시아의 남하를 견제한다는 구실로 거문도를 불법 점령하였다.

8 신간회의 활동 파악

문제분석 자료에서 정치적·경제적 각성을 촉진함, 단결을 공고히 함, 기회주의를 일체 부인함, 합법 단체 등을 통해 (가) 단체는 신간회임을 알 수 있다. ⑤ 1927년에 결성된 신간회는 전국 순회 강연회·연설회를 개최하였고, 농민·노동자·여성·형평 운동 등을 지원하였다. 또한 광주 학생 항일 운동(1929)이 일어났을 때 현지에 진상 조사단을 파견하기도 하였다.

오답피하기 ① 진단 학회는 실증 사학의 입장에서 한국사를 연구하고 『진단 학보』를 발행하였다.
② 독립 협회는 1898년에 대한 제국 정부의 대신들과 민중이 함께 참석한 관민 공동회를 열고 헌의 6조를 결의하였다.
③ 대한민국 임시 정부는 국내와 연락하여 효과적인 독립운동을 전개하고자 연통제, 교통국 등을 조직하였다.
④ 신민회는 오산 학교, 대성 학교를 설립하는 등 민족 교육을 실시하였다.

9 6·25 전쟁의 이해

문제분석 ③ 결의문의 내용 중 북한의 군대를 38도선까지 철퇴할 것을 요구한다는 사실을 통해 6·25 전쟁 발발 직후임을 알 수 있다. 6·25 전쟁은 북위 38도선으로 분단되어 있던 상황에서 1950년 6월 25일 북한의 남침으로 시작되었다. 이에 유엔 안전 보장 이사회는 소련이 불참한 가운데 북한을 침략자로 규정하여 원조하지 말 것을 결의하였다. 이 결의에 따라 유엔군이 한국에 파병되었다.

오답피하기 ① 남북 협상은 1948년 유엔 소총회의 결과 남한만의 단독 선거 움직임이 구체화되자 본격적으로 추진되었다.
② 외환 위기는 김영삼 정부 시기 국제 경제의 여건 악화와 외환 관리 실패로 시작되었다.
④ 10·26 사태는 유신 체제에 대한 반발이 심해지는 가운데 일어났다.
⑤ 베트남 파병은 박정희 정부 시기에 미국의 요청으로 실시되었다.

10 새마을 운동의 영향 이해

문제분석 자료는 박정희 정부 시기인 1970년부터 추진된 새마을 운동에 대한 내용이다. ① 박정희 정부의 경제 성장 정책으로 도시와 농촌 간의 격차가 커지자 이를 해소한다는 명분으로 새마을 운동이 추진되었다. 새마을 운동의 결과 농촌의 환경은 많이 개선되었다.

오답피하기 ② 지주제 개혁을 목적으로 농지 개혁법이 제정되었다.
③ 새마을 운동은 박정희 정부 시기에 시작되었다.
④ 일제 강점기에 토지 조사 사업을 목적으로 토지 조사령이 제정되었다.
⑤ 일제가 중일 전쟁을 일으킨 이후 침략 전쟁을 본격화하면서 미곡 공출제를 시행하였다.

| 1 ③ | 2 ③ | 3 ① | 4 ③ | 5 ③ |
| 6 ③ | 7 ⑤ | 8 ④ | 9 ② | 10 ② |

1 가야의 사회 모습 파악

문제분석 자료에서 고령 지산동 고분 출토 토기와 김해 퇴래리 출토 판갑옷은 가야 연맹의 문화유산이다. 김해의 금관가야는 전기 가야 연맹을 주도하였고, 고령의 대가야는 후기 가야 연맹을 주도하였다. ③ 가야 연맹은 풍부하게 생산되는 철과 해상 교통에 유리한 점을 이용하여 낙랑, 왜 등과 교류하면서 철을 수출하였다.

오답피하기 ① 신라 지증왕은 장군 이사부를 보내 우산국을 복속시켰다.
② 성리학은 원 간섭기에 고려에 전해졌으며, 신진 사대부에 의해 수용되었다.
④ 고려 태조는 발해가 멸망한 후 유민을 적극 받아들였는데, 발해의 세자 대광현이 수만 명을 거느리고 오자 왕족으로 대우하고 조상에 대한 제사를 지낼 수 있게 하였다.
⑤ 인안, 대흥은 발해가 사용한 연호이다.

2 몽골의 침입에 대한 대응 이해

문제분석 자료에서 처인성 전투, 김윤후 등을 통해 (가)가 몽골임을 알 수 있다. 강화 천도 이후 몽골은 다시 고려에 침입해 왔으나 김윤후가 처인 부곡민과 함께 맞서 싸웠다. 이때 몽골 장수가 사살되자 몽골군은 퇴각하였다. ③ 팔만대장경판은 몽골의 침입을 물리치기 위해 제작되었다.

오답피하기 ① 부여성에서 비사성을 잇는 천리장성은 고구려에서 당의 침략에 대비해 축조되었다. 고려의 북쪽 국경 지역에 쌓은 천리장성은 고려 전기에 거란과 여진의 침략에 대비해 축조되었다.
② 조선 세종 때 여진을 정벌하고 압록강과 두만강 일대에 4군과 6진 지역을 개척하였다.
④ 거란의 1차 침입 때 서희의 담판으로 고려가 강동 6주 지역을 확보하였다.
⑤ 개항 이후 개화 정책이 추진되는 과정에서 신식 군대인 별기군이 창설되었다.

3 조선 성종 때의 사실 파악

문제분석 자료에서 설명하고 있는 홍문관은 사헌부, 사간원과 함께 3사로 불린 관청이다. 집현전을 계승한 홍문관은 조선 성종 때에 설치되었다. ① 성종 때에는 조선의 통치 기반이 된 『경국대전』이 반포되었다.

오답피하기 ② 4군 6진 지역은 세종 때에 개척되었다.
③ 22담로에 왕족이 파견된 것은 백제 무령왕 때의 일이다.
④ 은병(활구)이 주조된 것은 고려 시대에 해당한다.
⑤ 국경 지역에 천리장성이 축조된 것은 고구려와 고려 때이다.

4 조선 후기의 문화적 특징 이해

문제분석 자료에서 밑줄 친 '이 시기'는 조선 후기이다. 서민층이 문화 주체로 성장, 풍속화, 민화 등을 통해 알 수 있다. ③ 조선 후기에는 상공업의 발달, 서민의 경제력 향상, 서민 의식의 향상 등을 배경으로 서민 문화가 발달하였고, 한글 소설, 청화 백자, 풍속화, 진경산수화, 민화 등이 유행하는 등 다양한 문예 경향이 나타났다.

오답피하기 ① 고려 시대에 고려청자가 유행하였다.
② 삼국 시대에 불교가 수용되면서 불상을 만들기 시작하였다.
④ 삼국 시대 신라에서 독특한 무덤 양식인 돌무지덧널무덤이 성행하였다.
⑤ 고려 시대에 개성 경천사지 10층 석탑이 만들어졌다.

5 조선 중립화론의 이해

문제분석 자료의 주장은 유길준에 의해 제기된 조선 중립화론이다. 우리나라가 아시아의 중립국이 된다면 아시아 여러 대국의 보전에 도움이 될 것이라는 내용을 담고 있다. ③ 유길준은 1885년에 거문도 사건이 발생하는 등 한반도를 둘러싼 열강의 대립이 심해지는 상황에서 조선 중립화론을 제기하였다.

6 교육입국 조서 이해

문제분석 자료에서 한성 사범 학교 관제에 의거하여 한성 사범 학교 규칙을 발표하였다는 점을 통해 갑오개혁 때 제정된 것임을 알 수 있다. ③ 1895년에 고종은 교육입국 조서를 반포하여 근대 교육의 중요성을 강조하였다. 이후 한성 사범 학교 관제, 소학교 관제, 외국어 학교 관제 등이 발표되었다.

오답피하기 ① 대한 제국은 1899년에 대한국 국제를 제정하여 자주독립 국가임을 천명하고, 입법·사법·행정에 대한 절대적 권한을 황제에게 부여하였다.
② 독립 협회는 1898년에 열강의 이권 침탈에 대항하여 자주독립을 수호하고, 자유 민권을 신장시키기 위해 일종의 정치 집회인 만민 공동회를 서울에서 개최하였다.
④ 문자 보급 운동은 조선일보사의 주도로 농촌을 계몽하기 위해 1920년대 후반부터 전개되었다.
⑤ 민립 대학 설립 운동은 한국인을 위한 고등 교육 실현을 목표로 1920년대에 추진되었다.

7 국민 대표 회의 이해

문제분석 자료에서 상하이에서 개최된 점, 개조파와 창조파로 나뉘어 있는 점 등을 통해 밑줄 친 '회의'가 국민 대표 회의임을 알 수 있다. 국민 대표 회의는 대한민국 임시 정부의 위기를 타개하고 활동 방향과 노선을 논의하기 위해 1923년에 개최되었다. ⑤ 이승만이 1919년 국제 연맹에 위임 통치 청원을 하였던 사실이 국민 대표 회의 개최의 배경 중 하나로 작용하였다.

오답피하기 ① 1948년 2월에 열린 유엔 소총회의 결과 남한만의 단독 선거 움직임이 구체화되자, 그해 4월 김구와 김규식 등은 통일 정부 수립을 위해 남북 협상을 추진하였다.

② 독립 의군부는 1910년대에 임병찬 등이 고종의 밀명을 받아 조직한 단체이다.

③ 1932년 윤봉길의 홍커우 공원 의거 이후 대한민국 임시 정부는 상하이를 떠나 이동을 시작하였다. 윤봉길의 의거는 중국 국민당 정부가 대한민국 임시 정부의 항일 운동을 적극적으로 지원하는 계기가 되었다.

④ 안중근은 1909년 만주 하얼빈에서 이토 히로부미를 저격하였다.

8 형평 운동 이해

문제분석 자료에서 노예의 대우를 받던 백정, 진주에서 발생, 백정들의 쌓인 불평, 전국에 널리 퍼져 회원이 17만에 달하였다는 점 등을 통해 밑줄 친 '이 운동'이 형평 운동임을 알 수 있다. ④ 형평 운동은 백정이 자신들에 대한 사회적 차별을 폐지하여 평등한 세상을 만들겠다는 신념으로 전개한 것으로, 진주에서 조직된 조선 형평사가 주도하였다. 이들은 계급을 타파하고 모욕적 칭호를 폐지할 것을 주장하였다.

오답피하기 ① 을미의병은 친일 관리를 처단하고 일본군을 공격하는 한편, 을미개혁 당시에 발표된 단발령을 철회할 것을 주장하였다.

② 박정희 정부가 한일 국교 정상화를 추진하자 학생과 시민들은 이를 굴욕적 대일 외교로 규정하며 6·3 시위를 벌였다(1964).

③ 군국기무처가 주도한 제1차 갑오개혁에서는 공·사노비 제도를 혁파하여 신분제를 철폐하고, 6조를 8아문으로 개편하는 등 여러 개혁이 추진되었다.

⑤ 좌우 합작 운동을 주도한 좌우 합작 위원회에서는 좌우 합작으로 민주주의 임시 정부 수립, 미소 공동 위원회의 속개 등의 내용을 담은 좌우 합작 7원칙을 발표하였다.

9 좌우 합작 운동의 추진 이해

문제분석 자료에서 중도 세력인 김규식과 여운형이 협동과 통일을 위해 노력하고 있다고 한 점, 이에 대해 미군정이 지지의 뜻을 보였다는 점 등을 통해 성명이 발표될 당시에 좌우 합작 운동이 추진되고 있었음을 추론할 수 있다. ② 광복 후 중도 세력은 미군정의 지지 아래 좌우 합작 운동을 추진하였으며, 좌우 합작 7원칙을 발표하는 등 통일 정부 수립을 위해 노력하였다.

오답피하기 ① 대한 제국은 1899년에 대한국 국제를 제정하여 자주독립 국가임을 천명하고, 입법·사법·행정에 대한 절대적인 권한을 황제에게 부여하였다.

③ 갑오·을미개혁은 조선 정부가 사회 모순과 제도의 문제점을 해결하기 위해 19세기 말에 추진하였으며, 자료의 성명과는 관련이 없다.

④ 대한민국 임시 정부는 1941년 삼균주의에 바탕을 둔 건국 강령을 발표하였다.

⑤ 대한민국 임시 정부의 활동이 침체에 빠지자 민족 지도자들은 1923년에 국민 대표 회의를 열어 독립운동의 새로운 방향을 모색하였다.

10 외환 위기의 극복 이해

문제분석 정부가 국제 통화 기금(IMF)의 관리 체제에 들어갔다는 점, 2년간 저성장을 한 뒤 2000년에 잠재 성장률 6%대를 회복할 것이라고 한 점 등을 통해 자료의 상황은 1998년에 해당함을 알 수 있다. ② 우리나라가 IMF의 관리를 받게 된 것은 1997년 말 외환 위기가 발생하여 IMF 구제 금융 지원을 받게 되었기 때문이었다.

오답피하기 ① 삼백 산업은 이승만 정부 시기에 등장하였다.

③ 화폐 정리 사업은 제1차 한일 협약(1904)으로 파견된 일본인 재정 고문 메가타의 주도로 시행되었다.

④ 베트남 전쟁에 병력을 파견한 것은 박정희 정부였다.

⑤ 경제 개발 5개년 계획은 1962년에 시작되었다.

1	①	2	③	3	③	4	②	5	⑤
6	③	7	⑤	8	②	9	⑤	10	①

1 비파형 동검의 특징 파악

문제분석 자료에서 구리와 주석 등을 가열하여 액체로 만든 다음 거푸집에 부어 식힌다는 점과 고인돌에서 발견된다는 점을 통해 (가)는 청동기임을 알 수 있다. ① 그리고 족장의 필수품으로 현악기를 닮아 이름이 붙여졌다는 점을 통해 (가)가 비파형 동검임을 추론할 수 있다. 비파형 동검은 청동 거울과 함께 청동기 시대에 지배층이 사용한 대표적인 도구였다.

오답피하기 ② 구석기 시대의 대표적 뗀석기인 주먹도끼이다.
③ 중국 화폐인 명도전으로 철기와 함께 한반도에서 발견되어 당시 중국과의 교류를 보여주는 유물이다.
④ 신석기 시대를 대표하는 토기인 빗살무늬 토기이다.
⑤ 청동기 시대에 곡식의 이삭을 따는 데 사용되었던 반달 돌칼이다.

2 고려 후기의 사회 모습 파악

문제분석 공민왕은 원·명 교체라는 정세 변동 속에서 반원 자주 정책을 추진하였다. 또한 신돈을 등용하고, 전민변정도감을 설치하여 권문세족이 부당하게 빼앗은 토지와 노비를 원래 주인에게 돌려주고, 불법적으로 노비가 된 자를 양민 신분으로 회복시켜 주었다. ③ 원 간섭기에 성장한 권문세족은 정계의 요직을 장악하고 대농장을 경영하였으며, 음서를 통해 관직에 진출하였다.

오답피하기 ① 6두품은 신라의 신분제인 골품제의 한 계층이다.
② 사림은 조선 성종 때에 3사에 진출하여 훈구의 비리를 비판하였다.
④ 통일 신라의 신문왕이 진골 귀족의 경제 기반이었던 녹읍을 폐지하였다.
⑤ 1170년에 무신들이 정변을 일으켜 권력을 장악하였다.

3 조선 후기 동학의 이해

문제분석 자료의 (가) 종교는 동학이다. 조선 후기에 예언 사상이 유행하고 서학(천주교)이 전래되는 상황에서 경주 출신의 몰락 양반인 최제우는 1860년에 동학을 창시하였다. ③ 동학은 사람이 곧 하늘(한울)이라는 인내천 사상을 내세우면서 평등 사회를 추구하였다.

오답피하기 ① 고려 시대에는 연등회와 팔관회를 중시하였는데, 팔관회는 불교와 도교, 토착 신앙 등이 어우러진 행사였다.
② 고려 전기에 묘청을 비롯한 서경 세력은 풍수지리설에 입각하여 서경 길지설을 내세우면서 서경 천도 운동을 전개하였다.
④ 고려 후기에는 신진 사대부 세력이 성장하여 성리학을 수용하고 개혁을 추진하면서 권문세족과 불교의 폐단을 비판하였다.
⑤ 조선 후기에 전래된 서학(천주교)은 평등과 내세 사상을 내세워

민간에 확산되었는데, 제사 의식을 거부하면서 정부의 탄압을 받았다.

4 조선 후기의 서민 문화 이해

문제분석 첫 번째 자료는 박지원의 『양반전』이고, 두 번째 자료는 박지원의 『허생전』이다. ② 조선 후기에는 상공업의 발달, 서민의 경제력 향상, 서당 교육의 확대, 서민 의식의 향상 등을 배경으로 서민 문화가 발달하였고, 문학의 저변이 서민층까지 확대되면서 한글 소설과 사설시조 등이 유행하였다.

오답피하기 ① 원 간섭기 고려에서는 몽골 풍습(몽골풍)이 유행하였다.
③ 청자의 상감 기법은 12~13세기에 유행하였다.
④ 풍수지리설은 신라 말 도선 등 선종 승려가 들여왔다.
⑤ 신라와 발해는 당으로 유학생을 파견하여 당의 문물을 수용하였다.

5 임오군란의 영향 이해

문제분석 자료에서 신식 군대 우대 정책에 불만을 가지고 있던 무위영의 군인들이 선혜청에서 소동을 일으켰다는 점을 통해 가상 뉴스에 나타난 사건은 1882년에 발생한 임오군란임을 알 수 있다. ⑤ 임오군란을 진압한 청은 조선에 마건상과 묄렌도르프를 고문으로 파견하여 우리나라의 내정을 간섭하였다.

오답피하기 ① 균역법은 군역의 폐단을 시정하기 위해 영조 때 마련되었다.
② 1920년대에 백정들은 백정에 대한 사회적 차별 철폐를 요구하며 형평 운동을 일으켰다.
③ 훈련도감은 임진왜란 중에 설치된 군영으로 포수, 사수, 살수의 삼수병으로 구성되었다.
④ 비변사는 여진, 왜구 등의 침략에 대비하기 위해 설치된 조선 시대의 임시 회의 기구로, 임진왜란을 거치면서 기능이 강화되었다.

6 국권 피탈 과정 이해

문제분석 자료는 대한 제국의 국권 피탈 과정을 보여주는 다큐멘터리 기획안이다. 1904년부터 1910년까지 체결된 조약을 바탕으로 일제에 의한 대한 제국의 국권 피탈 과정을 시기 순으로 연속 방영한다는 기획 의도를 통해 (가)에는 군사적 요충지 사용을 규정한 한일 의정서와 대한 제국의 외교권을 강탈한 을사늑약 사이에 체결된 조약 내용이 들어가야 함을 알 수 있다. ③ 일제는 러일 전쟁에서 승기를 잡자, 1904년 8월 대한 제국 정부와 제1차 한일 협약을 강제로 체결하고 메가타와 스티븐스를 고문으로 파견하였다.

오답피하기 ① 일제는 1907년에 순종을 즉위시키고 한일 신협약을 강요하는 한편, 대한 제국의 군대를 해산하였다.
② 일제는 1910년에 '한국 병합 조약'을 체결하여 대한 제국의 주권을 강탈하고, 식민 통치 기구로 조선 총독부를 설치하였다.
④ 1910년대 일제는 헌병이 일반 경찰 업무와 행정 업무까지 관여하는 헌병 경찰제를 실시하였다.
⑤ 중일 전쟁을 일으킨 일제는 침략 전쟁을 확대하면서 민족 말살

통치의 일환으로 한국인에게 일본식 성명 사용을 강요하였다.

7 대한 광복회의 활동 이해

문제분석 자료에서 총사령에 박상진을 추대하고, 군대식 조직을 갖추었다는 내용을 통해 밑줄 친 '이 단체'는 대한 광복회임을 알 수 있다. ⑤ 대한 광복회는 국권 회복 후 공화정 형태의 근대 국가 건설을 추구하였다.

오답피하기 ① 동아일보사는 1930년대 전반에 '배우자, 가르치자, 다 함께 브나로드'라는 구호 아래 브나로드 운동을 전개하였다.
② 독립 의군부는 1910년대에 임병찬 등이 고종의 밀명을 받아 조직한 비밀 결사이다.
③ 서울 진공 작전이 실패한 이후 호남 지방을 중심으로 항일 의병 전쟁이 지속되었으나, 1909년 일제의 '남한 대토벌 작전'으로 의병 활동은 크게 약화되었다.
④ 1918년 상하이에서 결성된 신한청년당은 파리 강화 회의에 김규식을 한국 대표로 파견하였다.

8 근우회의 성격 파악

문제분석 자료에서 여성 운동, 신간회의 자매단체라는 내용을 통해 (가)는 근우회임을 알 수 있다. 근우회는 신간회 창립에 자극을 받은 여성 운동 세력이 연합하여 조직한 단체이다. ② 근우회는 기관지로 『근우』를 발행하였으며, 야학, 지방 순회 강연, 토론회 등을 통해 가부장적인 관습을 비판하고 여성의 지위 향상과 계몽에 노력하였다.

오답피하기 ① 권업회는 1910년대에 연해주에서 조직된 자치 단체이다.
③ 보안회는 1904년에 결성된 애국 계몽 운동 단체로 일제의 황무지 개간권 요구에 반발하여 시위를 전개하였다.
④ 신민회는 국권 회복과 근대 국가 수립을 목표로 조직되었다가 1911년 105인 사건으로 와해되었다.
⑤ 조선어 연구회는 1921년에 만들어졌으며, 가갸날을 제정하였다.

9 남한만의 단독 정부 수립 과정 이해

문제분석 (가)는 1946년 6월에 이승만이 남한만의 단독 정부 수립을 주장하는 정읍 발언이며, (나)는 1948년 2월에 김구가 남한만의 단독 정부 수립을 반대하면서 발표한 성명서이다. ⑤ 제2차 미소 공동 위원회가 결렬된 이후, 미국은 한반도 문제를 유엔에 이관하였다. 이후 1947년 11월 유엔 총회에서 한반도의 총선거 실시를 결의하였다.

오답피하기 ① 1923년 상하이에서 대한민국 임시 정부의 새로운 방향을 모색하기 위해 국민 대표 회의가 개최되었다.
② 1941년에 대한민국 임시 정부가 대한민국 건국 강령을 발표하였다.
③ 1952년에 대통령 직선제 개헌 내용을 담고 있는 발췌 개헌안이 국회에서 통과되었다.
④ 1948년 10월에 여수·순천 10·19 사건이 발생하였다.

10 7·4 남북 공동 성명의 영향 파악

문제분석 자료에서 남북한이 처음으로 평화 통일 원칙에 합의, 통일은 ~ 자주적으로 해결, 통일은 ~ 평화적 방법으로 실현, 사상과 이념 ~ 민족적 대단결을 도모 등을 통해 밑줄 친 '성명서'가 7·4 남북 공동 성명을 담고 있는 성명서임을 알 수 있다. 박정희 정부 시기인 1972년에 서울과 평양에서 동시에 발표된 7·4 남북 공동 성명은 자주·평화·민족적 대단결 등 최초로 남북이 합의한 평화 통일 원칙을 담고 있다. ① 새마을 운동은 박정희 정부 시기인 1970년대에 전개되었는데, 정부 주도로 추진된 지역 사회 개발 운동이라고 할 수 있다. 1970년 농촌에서 시작된 새마을 운동은 이후 공장, 직장, 도시 등으로 확산되었다.

오답피하기 ② 금강산 관광이 처음으로 시작된 시기는 김대중 정부 시기인 1998년이었다.
③ 남북 기본 합의서는 노태우 정부 시기인 1991년에 채택되었다.
④ 1948년 반민족 행위 처벌법(반민법)이 제정되었고, 이에 따라 친일파 청산을 위해 반민족 행위 특별 조사 위원회(반민 특위)가 조직되었다.
⑤ 김영삼 정부는 1996년에 경제 협력 개발 기구(OECD)에 가입하였다.

1 ④	2 ⑤	3 ⑤	4 ①	5 ③
6 ④	7 ③	8 ③	9 ①	10 ③

1 부여의 풍습 파악

문제분석 자료에서 남쪽으로는 고구려와 접하고 여러 족장이 사출도를 나누어 맡는다는 내용 등을 통해 (가)는 부여임을 알 수 있다. 부여는 만주 쑹화강 유역의 평야 지대를 중심으로 성장하였고, 가축의 이름을 딴 마가, 우가, 저가, 구가 등이 각기 사출도라 불리는 지역을 다스리는 연맹 왕국이었다. ④ 부여에는 순장이라는 풍습과 영고라고 불리는 제천 행사가 있었다.

오답피하기 ① 화백 회의는 신라의 귀족 회의이다.
② 고려 태조 왕건은 사심관 제도와 기인 제도를 실시하였다.
③ 고조선에 대한 설명이다.
⑤ 옥저는 함경도 동해안 지역에 위치하였다.

2 고려의 경제 활동 파악

문제분석 자료는 송의 사신인 서긍이 고려에 다녀간 뒤 쓴 견문록에 나오는 내용으로 예성항, 송 황제의 조서, 벽란정 등을 통해 고려 시대에 있었던 사실임을 알 수 있다. 예성강 하구는 고려의 수도 개경으로 들어오는 길목에 위치하여 이곳의 벽란도는 국제 무역항으로 번성하였다. ⑤ 고려 시대에는 국제 무역이 활발하여 송 상인은 물론 아라비아 상인도 벽란도를 통해 고려에 왕래하면서 향신료, 수은, 산호 등 진귀한 물건들을 가져왔다.

오답피하기 ①『농사직설』은 조선 세종 때 편찬된 농업 서적이다.
② 조선 후기에 상품 경제가 발달하면서 상평통보가 전국적으로 유통되었고, 세금도 화폐로 내게 되었다.
③ 발해관은 중국 당에 있던 발해의 사신들이 머물던 여관이다.
④ 의주 상인인 만상은 조선 후기에 활동하였다.

3 시전 상인에 대한 이해

문제분석 자료에서 종로 거리에 만들어진 상점가에서 장사한다는 점과 정부에 점포세와 상세를 납부하고 왕실이나 관청에 물품을 공급하는 의무를 졌다는 점 등을 통해 (가)가 시전 상인임을 알 수 있다. ⑤ 조선 정부는 시전 상인에게 왕실이나 관청에 물품을 공급하게 하는 대신 특정 상품에 대한 독점 판매권을 부여하였다.

오답피하기 ① 조선 형평사는 1923년 백정들이 결성한 단체이다. 갑오개혁 때 법제상으로 신분 차별은 폐지되었지만, 백정에 대한 사회적 차별과 천대는 여전히 계속되었다. 이에 백정들은 자신들에 대한 차별을 폐지하여 저울처럼 평등한 세상을 만들자며 진주에서 조선 형평사를 결성하고 형평 운동을 전개하였다.
② 공인에 대한 설명이다. 공인은 대동법 실시를 계기로 등장한 어용 상인으로, 국가가 필요로 하는 관수품을 조달하는 역할을 하였다.
③ 관영 수공업 체제에서 공장안에 이름이 등록된 장인에 대한 설

명이다. 이들은 소속 관청에 동원되어 관청에 필요한 물품을 제작하였다.
④ 보부상에 대한 설명이다. 장시를 무대로 활동했던 대표적 상인인 보부상은 생산자와 소비자를 연결해 주는 행상으로, 장날의 차이를 이용해 장사를 하면서 지방 장시를 하나의 유통망으로 연계시켰다.

4 조선 후기 문화 동향 이해

문제분석 삽화는 전기수가 조선 후기에 유행한『춘향전』을 읽어주고 있는 모습이다. 전기수란 이야기책을 전문적으로 읽어주던 사람을 말한다. 조선 후기에는『춘향전』과 같은 한글 소설이 유행하면서 이현, 종루 등에서 책을 읽어주는 모습을 흔하게 볼 수 있었다. ① 이 시기에는 서민 문화의 발달과 함께 김홍도와 신윤복 등이 그린 풍속화가 유행하였다.

오답피하기 ② 고려의 귀족 문화를 대표하는 상감 청자는 원 간섭기 이후에 쇠퇴하였다.
③ 무용총은 고구려의 고분이다.
④ 안동 봉정사 극락전은 고려 시대의 대표적인 건축물이다.
⑤ 경주 불국사 3층 석탑은 통일 신라 시대에 세워졌다.

5 전봉준의 활동 파악

문제분석 자료는 고부 농민 봉기를 포함하여 동학 농민 운동을 주도하였던 전봉준에 대한 내용이다. 조병갑의 학정, 수탈의 상징인 만석보, 무장에서 재봉기 등을 통해 밑줄 친 '그'는 전봉준임을 알 수 있다. ③ 전봉준은 고부 군수 조병갑의 비리와 수탈을 바로잡고자 고부 농민 봉기를 주도하였다.

오답피하기 ① 독립 협회는 서재필의 주도로 창립되어 강연회와 토론회 등을 통해 민중을 계몽하고자 하였다.
② 독립 의군부는 고종의 밀명을 받은 의병과 유생이 중심이 되어 1912년에 조직되었다.
④ 병자호란 이후 청에 복수하자는 북벌 운동이 추진되었다.
⑤ 제너럴 셔먼호 사건을 빌미로 미군이 강화도를 침략하였는데, 이때 어재연은 광성보에서 미군에 대항하였다.

6 애국 계몽 운동의 이해

문제분석 자료는 국권 회복의 방법으로 병기를 버리고, 실력을 양성, 실력이 먼저임을 주장하고 있다. 이는 일제의 침략에 맞서 무력으로 투쟁하는 의병 활동보다 실력 양성을 내세운 애국 계몽 운동을 보여준다. 애국 계몽 운동은 정치·사회 단체 활동과 언론 활동 등을 통해 국민의 애국심을 고취하고 근대 시민 의식을 계발하며 산업 진흥을 통한 경제적 자립을 꾀하였다. ④ 애국 계몽 운동가들은 교육을 통해 민중을 각성하게 하고 인재를 양성하여 국력을 키우는 것이 국권 회복을 위한 급선무라고 생각하였다. 이에 따라 학회들이 결성되고 전국적으로 수많은 사립 학교가 설립되어 민족 교육에 힘썼다.

오답피하기 ① 민영환의 순국 자결이 대표적인 경우로, 일제 침략에 대한 즉각적인 저항의 모습을 보여준다.

② 이만손이 주도한 영남 유생들의 만인소가 대표적인 사례로, 유교적 전통을 지키려는 위정척사 운동에 해당한다.
③ 의병 활동은 일제의 침략에 맞선 무장 투쟁의 대표적인 사례이다.
⑤ 1919년에 조직된 의열단은 주로 1920년대에 일제의 식민 통치 기관을 파괴하는 활동을 전개하였다.

7 조선 태형령 실시 시기의 사실 파악

문제분석 밑줄 친 '이 법령'은 조선 태형령이다. 일제는 무단 통치 시기에 조선 태형령을 제정하여 한국인에게만 신체에 고통을 가하는 태형을 적용하였다. ③ 일제는 무단 통치 시기에 토지 조사 사업 (1910~1918)을 실시하여 식민 지배에 필요한 재정을 확보하고자 하였다.

오답피하기 ① 광무개혁은 구본신참의 원칙 아래 대한 제국 시기에 전개되었다.
② 일제는 1925년에 치안 유지법을 제정하였다.
④ 조선어 학회 사건은 1942년에 일어났다.
⑤ 일제는 1930년대 이후 한국인의 민족의식을 말살해 침략 전쟁에 동원할 목적으로 황국 신민화 정책을 추진하였다. 이때 일제는 황국 신민 서사 암송, 일본식 성명 사용 등을 강요하였다.

8 광주 학생 항일 운동의 전개 과정 파악

문제분석 자료에서 나주역에서 발생한 한·일 학생 간의 충돌과 이어진 광주 지역 학생과 시민들의 시위, 그리고 일본 경찰의 한국인 학생 구속 등의 내용을 통해 광주 학생 항일 운동의 전개 과정임을 알 수 있다. ③ 광주 학생 항일 운동은 신간회의 후원으로 전국에 확산되었다.

오답피하기 ① 대한민국 임시 정부는 3·1 운동의 영향으로 수립되었다.
② 일제가 3·1 운동을 무자비하게 진압하는 과정에서 화성의 제암리 학살 사건이 일어났다.
④ 순종의 장례일에 6·10 만세 운동이 일어났다.
⑤ 3·1 운동 때 민족 대표들은 태화관에서 독립 선언식을 거행하였다.

9 4·19 혁명의 결과 이해

문제분석 자료에서 3·15 부정 선거 등의 내용을 통해 (가) 민주화 운동은 4·19 혁명임을 알 수 있다. 이승만 정부의 장기 집권과 3·15 부정 선거로 이승만 정부를 규탄하는 4·19 혁명이 일어났다. ① 4·19 혁명 전개 과정에서 이승만의 하야를 요구하는 주장이 제기되었으며, 그 결과 이승만은 대통령직에서 하야한다는 성명을 발표하였다.

오답피하기 ② 6월 민주 항쟁에서 대통령 직선제 개헌 등의 요구가 제시되었다.
③ 유신 헌법에서 대통령에게 긴급 조치권을 부여하였다. 긴급 조치권은 유신 헌법 반대 운동을 탄압하는 데 이용되었다.
④ 1979년 박정희 대통령 피살로 유신 체제가 붕괴된 후 신군부가

권력을 장악하려 하는 상황에서 5·18 민주화 운동이 일어났다.
⑤ 박종철 고문치사 사건을 배경으로 6월 민주 항쟁이 발생하였다.

10 노태우 정부의 정책 파악

문제분석 (가)에는 노태우 정부에서 추진한 정책이 들어가야 한다. ③ 노태우 정부는 소련, 중국 등 공산권 국가와 수교하는 등 북방 외교를 추진하고, 남북한 유엔 동시 가입을 이끌어 냈으며, 남북 기본 합의서를 채택하였다.

오답피하기 ① 김대중 정부 시기 6·15 남북 공동 선언 발표 (2000) 이후 남북 교류와 협력이 확대되면서 개성 공단 건설이 추진되었다.
② 제1차 세계 대전의 전후 처리를 논의하기 위해 파리 강화 회의가 열렸다.
④ 통일 주체 국민 회의는 박정희 정부 시기에 유신 헌법에 근거하여 설치되었다.
⑤ 노무현 정부 시기에 제2차 남북 정상 회담이 개최되었다.

1 ④	2 ①	3 ④	4 ⑤	5 ①
6 ①	7 ③	8 ②	9 ③	10 ①

1 변한의 특징 이해

문제분석 자료에서 동쪽과 서쪽은 바다로 경계를 삼고, 남쪽은 왜와 접경하고 있으며, 신지와 읍차라는 정치적 지배자가 있었다는 사실 등을 통해 삼한에 대한 서술임을 알 수 있다. 삼한은 마한과 진한, 그리고 (가) 변한으로 이루어져 있었다. ④ 변한에서는 철이 많이 생산되어 덩이쇠를 낙랑군과 왜 등에 수출하였다.

오답피하기 ① 부여에는 12월에 열리는 영고라는 제천 행사가 있었다.
② 옥저와 동예는 어물과 소금을 고구려에 공납으로 바쳤다.
③ 신라는 진흥왕 때 화랑도를 국가적 조직으로 개편하여 인재 양성에 주력하였다.
⑤ 고구려는 7세기에 당의 침략에 대비해 부여성에서 비사성을 잇는 천리장성을 쌓았다.

2 원 간섭기 신분 변동의 사회 모습 이해

문제분석 자료는 고려 원 간섭기의 신분 변동 상황이다. 유청신이 몽골어를 익혀 충렬왕의 신임을 받아 관리가 되었다는 내용을 통해 알 수 있다. ① 고려 후기 원 간섭기에 고려인이 공녀 · 환관으로 원에 끌려가는 등 원에 의한 인적 수탈이 이루어졌다.

오답피하기 ② 통일 신라의 원성왕 때 독서삼품과가 마련되었다.
③ 통일 신라의 신문왕은 귀족의 경제 기반을 약화시키기 위해 녹읍을 폐지하였다.
④ 조선의 영조는 농민의 군역 부담을 줄이기 위해 군포 1필을 징수하는 균역법을 실시하였다.
⑤ 조선 시대에 유력한 지방 양반(사족)으로 구성된 유향소는 수령을 보좌하거나, 수령과 향리의 비리를 감시하며 향촌 사회의 풍속을 교화하는 역할을 담당하였다.

3 사림 세력의 성장 파악

문제분석 자료에 제시된 김종직, 김일손, 조광조 등은 성종 때 이후 본격적으로 정계에 진출하여 활동한 사림의 주요 인물로 (가) 세력은 사림임을 알 수 있다. 사림은 성종 때에 과거를 통해 관직에 진출하기 시작하여 주로 언관직을 차지하고 훈구를 견제하였다. ④ 사림은 향촌 사회에 기반을 두고 성장한 정치 세력으로, 이들은 향약의 보급을 통해 향촌 사회에서 영향력을 높여 갔다.

오답피하기 ① 골품제는 신라의 신분제로 신라인의 정치 활동과 일상생활에까지 영향을 끼쳤다. 성골과 진골 외에는 골품제에 따라 관등 상승에 한계가 있었다.
② 고려 시대 문벌 귀족에 대한 설명이다.
③ 고려 원 간섭기의 권문세족에 대한 설명이다.
⑤ 고려 인종 때의 묘청, 정지상 등 서경 세력에 대한 설명이다.

4 19세기 정치 상황의 파악

문제분석 자료는 진주 농민 봉기의 수습을 위해 파견된 안핵사 박규수가 국왕에게 올린 보고서의 내용 중 일부이다. 박규수는 진주 농민 봉기가 삼정의 문란, 특히 환곡의 문란으로 일어났음을 지적하고, 삼정의 문란을 해결하기 위한 방안으로 전담 관청의 설치를 건의하였다. 진주 농민 봉기는 1862년에 농민 봉기가 전국으로 확산(임술 농민 봉기)되는 계기가 되었다. ⑤ 1862년에 일어난 임술 농민 봉기는 세도 정치의 폐단으로 정치 기강이 문란해지고 지배층의 수탈이 심화되는 상황에서 일어났다.

오답피하기 ① 관리들에게 역분전을 지급한 것은 고려 태조 때에 해당한다.
② 군국기무처는 1894년 일본이 경복궁을 점령하고 개혁을 강요하면서 설치된 기구로 제1차 갑오개혁을 주도하였다. 제1차 갑오개혁 당시 국정 전 분야에 걸쳐 약 210건의 안건을 의결, 실행한 초정부적인 기구였다.
③ 건원중보는 고려 성종 때에 처음 발행되었으나 전국적으로 유통되지 못하였다. 조선 후기에는 상평통보가 발행되어 전국적으로 유통되었다.
④ 1907년에 일본이 고종 황제를 강제 퇴위시키고 대한 제국의 군대를 해산시키자, 해산된 군인들이 정미의병에 가담하였다.

5 명성 황후 시해 사건과 만민 공동회 사이의 사건 이해

문제분석 (가)는 명성 황후가 일본의 낭인에 의해 살해된 을미사변(1895)과 관련된 가상 대화이다. (나)는 독립 협회 주도로 열린 만민 공동회의 상황을 나타낸 것으로, 1898년 3월에 열린 만민 공동회에서 러시아의 이권 침탈을 규탄하였다. ① 고종은 을미사변 이후 신변에 불안을 느끼고 러시아 공사관으로 피신하였다(아관 파천, 1896~1897). 이후 독립 협회 등의 환궁 요구로 1년 만에 환궁하였다.

오답피하기 ② 국채 보상 운동은 일본의 강요로 도입한 차관을 갚아 일본의 경제적 예속에서 벗어나려는 취지로 1907년에 대구에서 시작되어 전국으로 확산되었다.
③ 일제는 자국에서 부족한 쌀을 한국에서 확보하기 위해 1920년대에 산미 증식 계획을 추진하였다.
④ 당백전은 흥선 대원군 집권 시기에 경복궁 중건 비용을 마련하기 위해 발행되었다.
⑤ 일본과의 수교(강화도 조약)는 1876년에 이루어졌다.

6 을사의병의 배경 파악

문제분석 자료는 최익현의 상소이다. 폐하의 준허와 참정의 인가를 거치지 않은 것, 박제순 등 오적 등의 표현을 통해 을사늑약에 대한 반발로 작성되었음을 알 수 있다. ① 최익현은 을사늑약 체결에 반발하여 전북에서 의병을 일으켰다. 하지만 대한 제국 정부의 관군과 대치하게 되자, 스스로 싸움을 포기하고 포로가 되어 대마도로 유배되었고, 그곳에서 순국하였다.

오답피하기 ② 아관 파천은 1896년 고종이 러시아 공사관으로 처소를 옮긴 사건이다.

③ 거문도 사건은 영국이 러시아의 남하를 저지한다는 명분으로 1885~1887년 거문도를 불법으로 점령한 사건이다.
④ 일제는 1907년에 헤이그 특사 파견을 빌미로 고종을 강제 퇴위시켰다.
⑤ 『조선책략』은 주일 청국 외교관인 황준헌이 쓴 것으로, 1880년 제2차 수신사로 일본에 파견된 김홍집이 들여왔다. 『조선책략』이 유포되자 영남 지방의 유생들이 이만손을 중심으로 만인소를 올려 서양 열강과의 수교를 반대하였다.

7 일제의 민족 말살 통치 이해

문제분석 1940년 매일신보의 기사로 애국반장, 정선 신사에 참배, 궁성 요배, 황국 신민 서사 제창 등을 통해 일제가 민족 말살 통치를 실시하였던 시기의 모습임을 알 수 있다. ③ 일제는 1930년대 이후 침략 전쟁을 벌이면서 '조선과 일본이 하나'라는 내선일체를 더욱 강조하면서 한국인을 일본인으로 만들려는 황국 신민화 정책을 강화하였다. 이는 한국인의 민족의식을 말살하여 일제에 대한 저항을 잠재우고, 침략 전쟁에 한국인을 효율적으로 동원하려는 것이었다.

오답피하기 ① 통감부는 을사늑약에 따라 1906년 2월에 설치되어 1910년 8월 한국 병합 조약 이후 조선 총독부가 설치될 때까지 존속하였다.
② 방곡령은 자연재해나 변란으로 식량 공급이 어렵고, 곡가의 폭등으로 민생 악화가 예상될 때 지방관이 그 지방 곡식이 다른 지방이나 다른 나라로 유출되는 것을 금지하는 조치이다. 함경도 관찰사 조병식이 1889년에 내린 방곡령은 일본과의 외교적인 마찰로 확대되기도 하였다.
④ 청산리 전투는 1920년에 전개되었다.
⑤ 토지 조사령에 따른 토지 조사 사업은 1910년대에 이루어졌다.

8 6·10 만세 운동 이해

문제분석 자료에서 기미년 경험, 이번 인산, 독립 만세, 인산 행렬 맨 끝에서 만세를 불렀다는 점 등을 통해 밑줄 친 '사건'이 6·10 만세 운동임을 알 수 있다. ② 6·10 만세 운동은 전개 과정에서 민족주의 계열과 사회주의 계열 간의 연대 가능성을 보여주었고, 이를 바탕으로 민족 협동 전선 운동이 전개되었다.

오답피하기 ① 명성 황후 시해 사건(을미사변)과 단발령에 반발하여 을미의병이 일어났다.
③ 한·일 학생 간의 충돌을 계기로 광주에서 일어난 광주 학생 항일 운동은 전국적인 규모의 항일 운동으로 확산되었다.
④ 3·1 운동은 1919년 3월 1일에 민족 대표들이 태화관에서 독립 선언서를 발표하면서 시작되었다.
⑤ 대한민국 임시 정부는 3·1 운동을 계기로 수립되었다.

9 5·18 민주화 운동 파악

문제분석 자료에서 17일 야간에 계엄령을 확대, 18일 오후부터 공수 부대를 대량 투입 등을 통해 5·18 민주화 운동과 관련된 내용임을 파악할 수 있다. ③ 1980년 광주의 학생과 시민들은 신군부의 퇴진과 계엄령 철회를 요구하며 시위를 전개하였다. 신군부는 공수 부대를 동원하여 무력으로 이를 진압하였고, 격분한 학생과 시민들은 시민군을 결성하여 대항하였다.

오답피하기 ① 모스크바 3국 외상 회의의 결정 사항이 국내에 전해지면서 신탁 통치 반대 운동이 일어났다.
② 1920년대 대학 설립을 통해 고등 교육을 실현하자는 실력 양성 운동인 민립 대학 설립 운동이 전개되었다.
④ 일제는 대륙 침략 전쟁 수행에 필요한 인적·물적 자원을 약탈할 목적으로 1938년에 국가 총동원법을 제정하였다.
⑤ 4·19 혁명으로 이승만 대통령이 하야하였다.

10 김대중 정부 시기 남북 교류 확대 내용 이해

문제분석 자료는 6·15 남북 공동 선언의 일부 내용이다. ① 김대중 정부의 대북 화해 협력 정책으로 남북 간의 교류가 활성화되었다. 이러한 상황에서 남북 정상 회담이 개최되고 6·15 남북 공동 선언이 발표되었다. 6·15 남북 공동 선언 이후 남북 교류와 경제 협력이 확대되면서 개성 공단 건설이 추진되었다.

오답피하기 ② 박정희 정부 시기인 1972년에 7·4 남북 공동 성명이 발표되었다.
③ 박정희 정부 시기에 자주·평화·민족적 대단결의 통일의 3대 원칙이 최초로 합의되었다.
④ 노태우 정부 시기에 한반도 비핵화 공동 선언이 채택되었다.
⑤ 전두환 정부 시기에 남북 이산가족 상봉이 처음으로 이루어졌다.

1 ⑤	2 ②	3 ①	4 ①	5 ①
6 ⑤	7 ⑤	8 ④	9 ⑤	10 ⑤

1 고조선의 변천 파악

문제분석 (가)는 고조선 지역으로 이주한 위만이 세력을 키워 준왕을 몰아내고 왕위에 올랐다는 사실이다. (나)는 고조선의 발전에 불안을 느낀 한 무제가 대군을 동원하여 고조선을 침공하였고, 결국 고조선이 지배층의 분열로 멸망하였다는 사실이다. (가), (나) 시기 사이에 고조선은 철기 문화를 본격적으로 수용하고 세력을 확장하였다. ⑤ 또한 한반도 남부의 진과 중국의 한 사이에서 중계 무역으로 이익을 얻어 고조선의 경제가 성장하였다.

오답피하기 ① 태학은 고구려 소수림왕 때 인재 양성을 위해 설립되었다.
② 백제는 5세기에 고구려의 공격으로 한성을 빼앗기고 웅진으로 천도하였다.
③ 고조선은 (가) 시기 이전인 기원전 4세기∼기원전 3세기경에 중국의 연과 대립할 정도로 강성해졌다.
④ 신라에서는 내물왕 시기부터 김씨의 왕위 세습이 이루어졌다.

2 고려의 문화 파악

문제분석 자료는 고려 시대의 문화유산을 소개하는 과제에 대한 내용을 담고 있다. 고려 시대에는 논산 관촉사 석조 미륵보살 입상과 같은 특색 있는 불상이 만들어졌고, 은입사 기법이 적용된 금속 공예품도 제작되었다. ② 고려 시대에는 청자 공예가 발달하였는데, 상감 기법을 이용하여 화려하게 문양을 넣은 상감 청자가 유행하기도 하였다.

오답피하기 ① 영광탑은 발해의 탑이다.
③ 경주 불국사는 통일 신라를 대표하는 문화유산이다.
④ 서원은 조선 시대에 건립된 건축물이다.
⑤ 천마총 천마도는 신라의 무덤 양식인 돌무지덧널무덤에서 발견되었다.

3 칠정산의 편찬 배경 이해

문제분석 자료는 중국의 역법을 기준으로 일식을 계산했기 때문에, 일식을 정확히 예측하지 못했던 조선의 상황을 보여주고 있다. ① 조선 세종 때에는 중국의 수시력과 아라비아의 회회력 등을 참고하여 우리나라 역사상 최초로 한성을 기준으로 천체 운동을 정확하게 계산한 역법서인 『칠정산』을 편찬하였다.

오답피하기 ② 팔만대장경은 고려 시대에 몽골의 침입을 물리치기 위해 조판되었다.
③ 독서삼품과는 관리 선발을 위해 국학 학생들의 유교 경전 이해 수준을 시험하는 제도로, 통일 신라의 원성왕 때 시행되었으나 진골 귀족의 반발로 제 기능을 발휘하지 못하였다.
④ 전민변정도감은 고려 시대에 설치·운영된 기구이다. 고려 말에

공민왕은 신돈을 전민변정도감의 책임자로 임명하여 권문세족이 부당하게 빼앗은 토지와 노비를 원래 주인에게 돌려주고, 불법으로 노비가 된 자를 양민 신분으로 회복시켜 주고자 하였다.
⑤ 무구정광대다라니경은 불국사 3층 석탑에서 발견된 신라의 목판 인쇄물이다.

4 조선 후기에 유행한 화풍 파악

문제분석 자료는 풍속화인 신윤복의 「단오풍정」, 민화인 「까치와 호랑이」로 조선 후기에 유행한 그림이다. 서민 문화가 발달한 이 시기에는 한국적 고유색을 표현하려는 경향이 강해지면서 진경산수화가 나타났고, 일상적인 생활 모습을 그린 풍속화와 이름 없는 화가들이 그린 민화도 유행하였다. ① 「인왕제색도」는 조선 후기 정선이 그린 진경산수화이다.

오답피하기 ② 「수월관음도」로 고려의 불화이다.
③ 「고사관수도」는 조선 초기에 강희안이 그린 그림이다.
④ 강서 고분의 현무도는 고구려의 고분 벽화이다.
⑤ 「몽유도원도」는 조선 초기 세종 때 안견이 그린 산수화이다.

5 대한 제국의 정책 파악

문제분석 본국 황제 폐하(고종), 환구단 등의 표현을 통해 대한 제국에 대한 자료임을 알 수 있다. ① 대한 제국은 토지를 조사하는 양전 사업을 실시하고, 토지 소유자에게 근대적 토지 소유 증명 문서인 지계를 발급하였다.

오답피하기 ② 조선은 조미 수호 통상 조약 체결 이후 미국 공사 파견에 대한 답례로 1883년에 전권 공사 민영익 등을 보빙사로 미국에 파견하였다.
③ 제물포 조약은 1882년에 일어난 임오군란의 결과 조선이 일본과 체결한 조약이다. 여기서 일본에 대한 조선의 배상금 지불과 일본 경비병의 공사관 주둔이 인정되었다.
④ 고려 공민왕 때 쌍성총관부를 공격하여 영토를 회복하였다.
⑤ 『속대전』은 조선 후기 영조 때에 편찬된 법전이다.

6 국채 보상 운동의 이해

문제분석 자료는 나라의 부채를 상환하지 못하면 멸망에 이르게 된다는 점과 대한매일신보에 실렸다는 점 등을 통해 국채 보상 운동과 관련된 것임을 알 수 있다. 당시에 근대적 개혁 추진과 시설 마련 등의 명목으로 일본이 강요하여 도입된 차관이 대한 제국의 1년 예산과 맞먹었다. 이에 경제 자주권을 지키기 위해 1907년 대구에서 국채 보상 운동이 시작되었다. ⑤ 국채 보상 운동은 대한매일신보와 황성신문 등의 지원 속에 금주와 금연, 가락지 모으기 등의 활동을 전개하였다.

오답피하기 ① 1920년대에 전개되었던 물산 장려 운동은 토산품 애용을 주장하였다.
② 지계는 양전 사업을 추진하는 과정에서 대한 제국이 발급한 근대적 토지 소유 증명 문서이다.
③ 일제는 1930년대에 남면북양 정책을 추진하여 면화 재배와 양 사육을 강요하였다.

④ 보안회는 일제의 황무지 개간권 요구를 반대하여 막아냈다.

7 연해주 지역의 독립운동 단체 파악

문제분석 제시된 대화는 연해주의 독립운동을 소재로 삼고 있으며, 학생들은 연해주 지역에서 조직된 독립운동 단체를 발표하고 있다. 따라서 (가)에는 연해주 지역 한인들이 전개한 항일 투쟁에 해당하는 사실이나 단체 결성 등의 내용이 들어가야 한다. ⑤ 이상설, 이동휘 등이 권업회를 토대로 1914년에 대한 광복군 정부를 수립하였다.

오답피하기 ① 한국광복군은 1940년에 중국 충칭에서 창설되었다.
② 조선 민립 대학 기성회는 민립 대학 설립을 위해 이상재 등이 1920년대 초반에 결성하였다.
③ 안중근은 만주 하얼빈에서 초대 통감이자 대한 제국의 국권 침탈에 앞장섰던 이토 히로부미를 처단하였다.
④ 홍경래의 난은 1811년 평안도 지역에서 발생하였다.

8 조선어 학회의 활동 파악

문제분석 제시된 자료에서 한글 강습회 개최, 한글 맞춤법 통일안 제정 등을 통해 (가)는 조선어 학회임을 알 수 있다. 일제 강점기 민족 문화 수호 운동으로 한글 연구가 이루어졌다. 1921년에 조직된 조선어 연구회는 가갸날을 제정하였고, 1931년에 조선어 학회로 개편되었다. 조선어 학회는 한글 맞춤법 통일안을 제정하였다. ④ 조선어 학회는 우리말 큰사전의 편찬을 추진하였으나 일제가 조선어 학회를 강제로 해산시켜 완성하지 못하였다.

오답피하기 ① 독립신문은 독립 협회, 대한민국 임시 정부 등이 발행하였다.
② 동학은 사람이 곧 하늘이라는 인내천 사상을 내세우면서 평등 사회를 추구하였다.
③ 고려 정부가 개경 환도를 결정하자 강화도에 있던 삼별초는 개경 환도에 반대하여 장기 항전을 계획하고 진도·제주도로 근거지를 옮기면서 대몽 항쟁을 전개하였다.
⑤ 창조파와 개조파의 대립으로 국민 대표 회의가 결렬되었고, 이후 대한민국 임시 정부는 침체 상태에 빠졌다.

9 유신 체제의 붕괴 배경 이해

문제분석 자료에서 부산과 마산 등지에서 민주화 시위가 일어났다는 점(부·마 민주 항쟁), YH 무역 사건이 일어났다고 한 점 등을 통해 1970년대 말 유신 체제가 붕괴 직전에 이르렀던 상황과 관련이 있음을 알 수 있다. ⑤ 박정희 정부는 유신 반대 투쟁에 대해 계엄령을 선포하고 군대까지 동원하여 막으려 하였다. 그러나 시위는 더욱 확산되었고, 결국 10·26 사태로 박정희 대통령이 사망하면서 유신 체제는 붕괴되었다.

오답피하기 ① 전두환 정부 시기였던 1980년대에 3저 호황으로 한국 경제가 한층 성장할 수 있었다.
② 이승만의 장기 집권과 3·15 부정 선거 등에 대한 반발로 1960년에 4·19 혁명이 일어났다.

③ 6·25 전쟁은 1950년 북한군의 남침으로 발발하였으며, 1953년에 정전 협정이 조인되었다.
④ 전두환 정부 시기에 대통령 직선제 개헌 요구가 점차 거세어지는 상황 속에서, 박종철 고문치사 사건, 4·13 호헌 조치 등에 반발하여 1987년에 6월 민주 항쟁이 일어났다.

10 김영삼 정부의 정책 파악

문제분석 자료는 금융 실명제 전면 시행을 내용으로 한 금융 실명 거래 및 비밀 보장에 관한 긴급 재정 경제 명령으로 김영삼 정부에서 발표되었다. ⑤ 김영삼 정부는 부정부패를 방지하기 위하여 금융 실명제를 전면 시행하였고, 경제 협력 개발 기구(OECD)에 가입하였다.

오답피하기 ① 농지 개혁법은 이승만 정부 시기인 1949년에 제정되었다.
② 일제는 1930년대에 남면북양 정책을 추진하여 면화 재배와 양 사육을 강요하였다.
③ 김대중 정부는 2000년 6·15 남북 공동 선언을 통해 개성 공단 조성, 경의선 복구 사업에 합의하였다.
④ 제1차 경제 개발 5개년 계획은 1962년부터 추진되었다.

1 ②	2 ②	3 ②	4 ①	5 ④
6 ⑤	7 ①	8 ②	9 ②	10 ②

1 통일 신라의 불교 문화 파악

문제분석 자료의 석굴암 본존불, 성덕 대왕 신종, 불국사 등은 통일 신라 때 만들어진 불교 문화유산으로 (가)에 들어갈 주제는 통일 신라의 불교 예술과 관련된 내용임을 알 수 있다. ② 삼국 통일로 평화와 안정을 찾은 신라인들은 불국토의 이상 세계를 신라 땅에 이룩하고자 하였고, 그 염원은 뛰어난 불교 관련 예술 활동으로 나타났다. 이에 따라 불국사, 불국사 3층 석탑, 다보탑, 석굴암, 석굴암 본존불, 성덕 대왕 신종 등이 제작되었다.

오답피하기 ① 삼국 시대의 유학은 중국과의 활발한 교류와 여러 유학 교육 기관의 설립으로 널리 보급되었다.
③ 신라 말에는 참선과 수행을 중시하는 선종이 유행하였고, 그 영향을 받아 승려의 사리 봉안을 위한 승탑과 승려의 일대기를 새긴 탑비 건립이 성행하였다. 한편, 신라 말에 유행한 풍수지리설은 신라 중앙 정부의 권위 약화에 영향을 주었다.
④ 삼국 시대에 도교는 산천 숭배나 신선 사상과 결합하여 귀족 사회를 중심으로 수용되었다. 고려 시대에는 나라와 왕실의 안녕과 번영을 기원하면서 도교 행사가 자주 베풀어졌으나, 조선 시대에는 사림의 반대로 크게 위축되었다.
⑤ 고려 시대에는 유교가 정치 이념으로 자리 잡았고, 국가의 지원을 받은 불교가 귀족에서 천민에 이르기까지 일상생활에 깊이 뿌리내려 있었다.

2 노비안검법 이해

문제분석 자료에서 광종이 노비를 안검하고 그 시비를 가린다는 점 등을 통해 밑줄 친 '명령'은 노비안검법임을 알 수 있다. ② 고려 광종은 노비안검법을 실시하여 불법으로 노비가 된 사람을 다시 양민으로 해방시켜 주었다. 이러한 조치는 공신과 호족 세력을 억제하고 왕권을 강화하기 위한 목적으로 시행된 것이었다.

오답피하기 ① 갑오개혁 때 공·사노비 제도가 폐지되었다.
③ 고려 공민왕은 기철 등 친원 세력을 숙청하고 정동행성 이문소를 철폐하는 등 적극적인 반원 정책을 추진하였다.
④ 조선 시대에 양반이 최고 지배층으로 자리 잡으면서 양반을 중심으로 한 신분 질서가 확립되었다.
⑤ 조선의 영조와 정조는 탕평 정치를 통해 왕권을 안정시키고, 붕당 간의 세력 균형을 꾀하려 노력하였다.

3 세종 때의 대마도 정벌 이해

문제분석 자료에서 이종무를 보내 왜구의 본거지로 알려졌던 대마도를 정벌한 상황은 세종 초에 있었던 사실이며, 따라서 상왕과 국왕은 각각 태종과 세종을 가리킨다. 왜구는 고려 말부터 한반도에 침입하여 약탈을 일삼았는데, 조선 초에 이를 제압하였다.

② 대마도 정벌은 세종이 즉위한 직후에 이루어졌다. 한편, 집현전은 세조 때 폐지되었다.

4 정조의 개혁 정책 파악

문제분석 자료에서 18세기 후반 수원 화성에서 볼 수 있던 여러 모습, 수원 화성을 건립한 조선의 개혁 군주 등을 통해 조선의 정조와 관련된 내용임을 알 수 있다. 정조는 수원으로 사도 세자의 묘를 옮기고 화성을 세워 자신의 정치적 이상을 실현하는 상징적 도시로 육성하고자 하였다. ① 정조는 왕권을 뒷받침하는 군사 기반으로 친위 부대인 장용영을 설치하였다.

오답피하기 ② 국자감은 고려의 최고 교육 기관으로, 고려 후기에 성균관으로 개편되었다.
③ 동학은 1860년 최제우에 의해 창시되었다. 교조 신원 운동은 동학교도들이 교조 최제우의 억울함을 풀어 줄 것과 포교의 자유를 요구한 집단 행동이다.
④ 과전법은 고려 말 공양왕 때 급진 개혁파 신진 사대부가 추진한 토지 개혁으로 도입되었다.
⑤ 별무반은 고려가 여진을 정벌하기 위해 기병 부대인 신기군, 보병 부대인 신보군, 승병 부대인 항마군 등으로 구성한 부대이다. 윤관은 별무반을 이끌고 여진족을 북쪽으로 몰아낸 후 동북 9성을 축조하였다.

5 제1차 갑오개혁 파악

문제분석 자료는 제1차 갑오개혁의 주요 내용이다. ④ 일본은 1894년에 경복궁을 점령하고 개혁을 강요하면서 군국기무처를 설치하였다. 군국기무처는 제1차 갑오개혁 당시 국정 전 분야에 걸쳐 약 210건의 개혁안을 의결하고 실행하였다.

오답피하기 ① 제물포 조약은 1882년에 일어난 임오군란의 결과 조선이 일본과 체결한 조약이다. 이 조약은 일본에 대한 조선의 배상금 지불과 일본 공사관에 경비병 주둔 허용 등의 내용을 담았다.
② 조선 후기 정조 때 육의전을 제외한 시전 상인의 금난전권을 폐지하는 신해통공이 단행되어 상업 활동의 자유가 확대되었다.
③ 일제 강점기인 1920년대에 백정들은 조선 형평사를 조직하여 형평 운동을 전개하였다.
⑤ 전민변정도감은 고려 시대에 설치·운영된 기구이다. 고려 말에 공민왕은 신돈을 전민변정도감의 책임자로 임명하여 권문세족이 부당하게 빼앗은 토지와 노비를 원래 주인에게 돌려주고, 불법적으로 노비가 된 자를 양민 신분으로 회복시켜 주고자 하였다.

6 상권 수호 운동 이해

문제분석 자료에서 외국 상인의 발전, 우리나라 상인의 생업 쇠락, 황국 중앙 총상회, 외국인의 상업 행위를 허락하지 말라는 점 등을 통해 시전 상인들이 전개한 상권 수호 운동에 대한 것임을 알 수 있다. ⑤ 상권 수호 운동은 임오군란 직후 조청 상민 수륙 무역 장정 등의 체결에 따라 청 상인을 비롯해 외국 상인들의 내지 통상이 가능해지면서 조선 상인들이 활동에 많은 어려움을 겪게 된 상황을 배경으로 전개되었다.

오답피하기 ① 일제는 식민지 경제 기반을 구축하기 위해 1910년부터 토지 조사 사업에 착수하였고, 1912년에 토지 조사령을 공포하였다. 그 결과 조선 총독부는 식민 지배에 필요한 재정을 확보하고 미신고 토지나 국·공유지를 차지하게 되었다.
② 화폐 정리 사업은 제1차 한일 협약(1904)으로 파견된 일본인 재정 고문 메가타의 주도로 시행되었다.
③ 물산 장려 운동은 1920년대에 전개된 일본 상품 배격과 토산품 애용 운동으로 '내 살림 내 것으로', '조선 사람 조선 것' 등의 구호를 내걸었다.
④ 동양 척식 주식회사는 일본의 국책 회사로, 1908년 서울에 설립되어 지속적으로 토지를 약탈하였다.

7 3·1 운동의 영향 파악

문제분석 자료는 3·1 운동 이후 일본 수상이 한국 통치에 대한 견해를 밝힌 내용이다. 3·1 운동은 일제 강점기 최대 규모의 항일 운동으로 우리 민족의 독립 의지와 열망을 전 세계에 알렸다. ① 3·1 운동으로 일본의 통치 방식이 무단 통치에서 이른바 문화 통치로 바뀌었다.
오답피하기 ② 동학 농민 운동은 1894년에 봉건적 신분 질서를 타파하고 일본의 침략을 물리치기 위해 일어났다.
③ 6·10 만세 운동은 1926년 순종의 장례일에 일어난 항일 운동이다.
④ 광주 학생 항일 운동은 1929년 한·일 학생 간의 충돌 사건을 계기로 일어났으며, 전국적인 항일 시위로 확산되었다.
⑤ 민립 대학 설립 운동은 한국인을 위한 고등 교육 실현을 목표로 1920년대에 추진되었다.

8 일제 강점기 민족 문화 수호 운동 이해

문제분석 자료에서 민족 문화의 수호를 위해 전개된 활동을 알아보는 학습 목표를 통해 (가)에 들어갈 내용이 일제 강점기 민족 문화 수호 운동과 관련된 내용이어야 함을 알 수 있다. ② 일제의 식민 사관에 맞서 박은식은 민족정신으로 민족혼을 강조하였으며, 『한국통사』와 『한국독립운동지혈사』를 저술하여 일제의 침략과 민족의 독립운동을 정리하였다.
오답피하기 ① 서재필이 정부의 지원을 받아 창간한 독립신문은 1896년부터 1899년까지 발행되었다.
③ 1880년대 초 『조선책략』 유포에 반발하여 이만손 등 영남 유생들이 만인소를 올렸다.
④ 교육입국 조서는 1895년에 반포되었다.
⑤ 일제는 우리 역사를 왜곡할 목적으로 조선사 편수회를 조직하여 『조선사』를 편찬하였다.

9 유신 헌법의 이해

문제분석 자료에서 통일 주체 국민 회의에서 대통령을 선출하고 대통령은 긴급 조치를 할 수 있다는 내용을 통해 제시된 헌법이 유신 헌법임을 알 수 있다. 유신 헌법은 박정희 대통령이 장기 집권을 위해 1972년에 마련한 헌법이다. 특히 대통령에게 주어진 긴급 조치권은 국민의 기본권을 제한할 수 있는 초헌법적인 권한으로 박정희 대통령은 이를 자신의 반대 세력을 억압하는 데 이용하였다. ② 부산과 마산의 학생과 시민들은 1979년에 유신 체제에 반대하며 부·마 민주 항쟁을 전개하였다. 박정희 정부는 이를 강경 진압하였으나, 이러한 와중에 박정희 대통령이 피살되는 10·26 사태가 발생하였다.
오답피하기 ① 국채 보상 운동은 대한 제국 시기인 1907년에 일본에 진 빚을 국민의 힘으로 갚아 보자고 일어난 운동이다.
③ 농지 개혁법은 이승만 정부 시기인 1949년에 제정되었다.
④ 한일 협정은 박정희 정부 시기인 1965년에 체결되었다.
⑤ 남북 기본 합의서는 노태우 정부 시기인 1991년에 채택되었다.

10 제1차 남북 정상 회담 이해

문제분석 자료에서 평양에서 정상 회담이 개최되었다고 한 점, 남북한 정상이 처음 만나 대화를 통해 통일 문제를 풀어나갔다고 한 점 등을 통해 2000년 6월의 제1차 남북 정상 회담에 대한 내용임을 알 수 있다. ② 제1차 남북 정상 회담에서 남북한은 서로의 통일 방안에 공통점이 있다는 것을 인식하고 보다 활발한 교류를 추진하겠다는 합의를 하였다. 그 결과 6·15 남북 공동 선언이 발표되었다.
오답피하기 ① 통일 주체 국민 회의는 박정희 정부 시기에 설치, 운영되었다.
③ 남북 조절 위원회는 7·4 남북 공동 성명에 따라 설치되었다.
④ 북한의 합영법 제정은 1980년대에 해당되며, 북한이 부분적인 개방을 추구한 사실을 알려준다.
⑤ 모스크바 3국 외상 회의는 1945년 12월에 개최되었는데, 결정 내용이 국내에 전해지면서 신탁 통치 반대 운동이 일어나게 되었다.

1 ②	**2** ③	**3** ①	**4** ⑤	**5** ⑤
6 ③	**7** ①	**8** ①	**9** ③	**10** ③

1　발해의 역사적 사실 파악

문제분석　자료는 8세기에 발해가 중경에서 상경으로 천도하는 상황을 나타낸 것이다. 발해는 문왕 때 당과 친선 관계를 유지하면서 당의 문물을 수용하여 통치 체제를 정비하고, 중경에서 상경으로 천도하였다. ② 3성 6부제 마련은 발해의 통치 체제 정비 노력과 관련 있다.

오답피하기　① 고구려의 을지문덕이 살수에서 수의 군대를 물리쳤다.
③ 고려는 관직 복무와 직역의 대가로 관리 등에게 전지와 시지를 지급하는 전시과 제도를 운영하였다.
④ 통일 신라의 장보고가 지금의 완도에 청해진을 설치하고 해상 무역을 장악하였다.
⑤ 고구려가 5세기에 광개토 대왕릉비를 건립하였다.

2　동북 9성의 축조 과정 이해

문제분석　자료는 동북 9성 축조에 대한 것이다. ③ 12세기 초 여진이 남하하여 고려와 충돌하였다. 고려는 윤관의 건의에 따라 별무반을 편성하였다. 윤관은 별무반을 이끌고 여진을 정벌한 후 동북 9성을 쌓았다.

오답피하기　① 신라도는 발해와 신라의 교류에 활용되었다.
② 4군 6진 지역은 조선 세종 때에 개척되었다.
④ 강동 6주 지역은 거란의 1차 침입 때 서희가 거란 장수와 외교 담판을 벌여 획득하였다.
⑤ 9서당 10정은 통일 신라의 군사 조직이었다.

3　북벌 운동의 특징 이해

문제분석　자료는 북벌 운동에 대한 내용이다. 청 정벌, 명에 대한 의리를 지킴, 무기의 개량 및 군대 양성 등의 내용을 통해 알 수 있다. 따라서 (가)에는 북벌 운동에 대한 내용이 들어가야 한다. ① 병자호란 이후 조선은 표면상 청과 군신 관계를 맺고 평화를 유지하면서 경제적·문화적 교류를 이어 갔다. 하지만 오랑캐에게 당한 치욕을 씻고 명에 대한 의리를 지키자며 북벌 운동을 벌였다. 북벌 운동은 효종 때에 가장 왕성하게 전개되었다. 효종은 송시열, 이완 등을 등용해 무기를 개량하고 군대를 양성하는 등 북벌을 준비하였다.

오답피하기　②『조선책략』의 영향으로 조선에서는 미국과의 수교 필요성이 제기되었고, 청의 알선으로 결국 조미 수호 통상 조약이 체결되었다. 반면 보수적 유생층은『조선책략』의 유포와 미국과의 수교 움직임에 반발하였다.
③ 인조반정 이후 집권한 서인 세력은 친명 배금 정책을 실시하여 후금이 조선을 침략(정묘호란)하는 빌미를 제공하였다.

④ 고려 전기에 윤관이 별무반을 이끌고 여진을 정벌하여 동북 9성을 설치하였다.
⑤ 청이 국력이 신장되고 서양의 문물을 받아들여 문화가 발달하자 18세기 이후 일부 실학자(북학파)를 중심으로 북학론이 제기되었다. 북학론은 청의 발달된 문물을 수용하여 국가 발전을 이루어야 한다는 주장이다.

4　서얼의 특징 파악

문제분석　자료에서 적자와 다를 바 없다는 내용과 규장각 검서관이었던 이덕무 등의 전기를 기록하였다는 내용을 통해 (가) 계층은 서얼임을 알 수 있다. ⑤ 서얼은 양반의 첩에게서 태어난 자식을 일컫는데, 이들의 신분적 대우는 중인과 유사하였고, 문과에 응시하지 못하는 등의 차별을 받았다.

오답피하기　① 신공을 납부한 것은 외거 노비로 주인과 떨어져 살면서 매년 일정액을 납부하였다.
② 고려 시대에는 직역이 없는 양민 농민을 백정이라고 불렀다.
③ 매매와 상속, 증여의 대상이 된 것은 노비였다.
④ 스스로 성주나 장군이라고 칭하였던 것은 신라 말에 등장한 호족이었다.

5　갑신정변의 배경 이해

문제분석　자료에서 연회 참석, 김옥균, 임금을 경우궁으로 옮김 등을 통해 자료의 사건이 갑신정변임을 알 수 있다. ⑤ 김옥균, 박영효 등 급진 개화파는 임오군란 이후 청의 내정 간섭으로 개화 정책이 후퇴하는 상황에 반발하여 갑신정변을 일으켰다(1884).

오답피하기　① 1895년 삼국 간섭 이후 친러 내각이 구성되고 러시아의 영향력이 커지자, 일본이 명성 황후를 시해한 을미사변이 일어났다.
② 1907년에 일본은 헤이그 특사 파견을 빌미로 고종 황제를 강제 퇴위시키고 한일 신협약을 체결한 뒤 대한 제국의 군대를 해산시켰다.
③ 일제는 침략 전쟁에 물적·인적 자원을 본격적으로 동원하기 위해 1938년에 국가 총동원법을 제정하였다.
④ 청일 전쟁에서 승리한 일본이 랴오둥반도를 차지하게 되자 러시아의 주도로 삼국 간섭이 일어났다(1895).

6　간도의 역사 이해

문제분석　자료에 청나라 관원들의 학대, 이범윤을 관리사로 주재 등을 통해 밑줄 친 '이 땅'이 간도임을 알 수 있다. ③ 간도는 역사적으로 우리 민족의 주요 활동 무대였으나 청이 건국된 후 자신들의 발상지라고 중시하여 출입을 금지하면서 두 나라 백성들의 충돌이 자주 일어났다. 이에 조선과 청은 1712년에 백두산정계비를 세워 양국의 경계를 정하였다. 그러나 이후 백두산정계비에 새겨진 토문강이 어느 강인지를 둘러싸고 의견이 대립하였다. 대한 제국은 1903년에 간도 지역에 대해 사실상 영유권을 확보하는 정책을 추진하여 이범윤을 간도 관리사로 임명하고 그곳의 한국인을 보호하는 역할을 수행하도록 하였다.

오답피하기 ① 한국광복군은 대한민국 임시 정부가 1940년에 충칭에서 창설하였다.
② 강화도 조약에 따라 부산, 원산, 인천이 개항되었다.
④ 칙령 제41호는 1900년에 대한 제국 정부가 독도에 대한 영유권을 재확인한 것이다. 대한 제국은 중앙 관보에 칙령 제41호를 실어 독도가 대한 제국의 영토라는 사실을 세상에 공표하였다.
⑤ 일본은 1905년에 시마네현 고시를 통해 독도를 일본 영토로 불법 편입하였다.

7 대한민국 임시 정부의 활동 파악

문제분석 자료에서 중국 상하이에 수립 선포, 연통부와 교통국 등을 통해 (가)는 대한민국 임시 정부임을 알 수 있다. 연통부는 대한민국 임시 정부가 국내외를 연결하는 비밀 행정 조직인 연통제를 실시함에 따라 서울에 설치한 비밀 행정 부서였다. ① 대한민국 임시 정부는 국제 무대에서의 외교 활동으로 독립을 달성하고자 미국 워싱턴에 구미 위원부를 설치하고 대통령 이승만을 중심으로 한국 독립 문제를 국제 여론화하는 데 힘썼다.
오답피하기 ② 관민 공동회는 독립 협회가 1898년에 종로에서 개최하였다.
③ 고종 황제는 을사늑약의 부당함을 국제 무대에 알리기 위해 1907년 네덜란드 헤이그에서 열리는 만국 평화 회의에 특사를 파견하였다.
④ 6월 민주 항쟁은 1987년에 대통령 직선제 개헌을 요구하며 일어난 민주화 운동이다.
⑤ 조선 혁명 군사 정치 간부 학교는 의열단을 만든 김원봉이 1932년에 독립군 간부 양성을 목적으로 중국의 난징에 설립하였다.

8 일제 강점기 종교계의 활동 파악

문제분석 자료에서 동학에서 개칭, 손병희 등을 통해 (가)는 천도교라는 것을 알 수 있다. 천도교는 3·1 운동 이후 제2의 독립 선언 운동을 계획하였다. ① 천도교는 잡지 『개벽』 등을 발간하였으며, 소년 운동을 주도하였다.
오답피하기 ② 나철, 오기호 등이 창시한 대종교는 단군 신앙을 바탕으로 하고 있으며, 북간도에서 항일 운동 단체인 중광단을 결성하였다.
③ 박중빈이 창시한 원불교는 개간 사업과 저축 운동 등 새생활 운동을 전개하였다.
④ 천주교는 고아원과 양로원 설립 등 사회사업을 전개하였다.
⑤ 개신교는 사립 학교를 설립하여 교육 운동을 전개하였다.

9 3·15 부정 선거의 파악

문제분석 벽보에서 자유당 정·부통령 후보가 이승만, 이기붕이고, 대화 내용 중 3월 15일에 치러질 선거를 위해 자유당이 부정을 저지르고 있다는 것을 통해 3·15 부정 선거 직전의 상황임을 알 수 있다. ③ 자유당은 1960년 3월 15일에 실시되는 선거에서 이승만을 대통령에, 이기붕을 부통령에 당선시키기 위해 대대적인 부정을 저질렀다. 이를 계기로 4·19 혁명이 일어났다.

10 6월 민주 항쟁의 결과 이해

문제분석 자료는 1987년에 치러진 제13대 대통령 선거 결과이다. ③ 1987년 6월 민주 항쟁으로 6·29 민주화 선언이 발표되어 여야 합의로 5년 단임의 대통령을 직선제로 선출하는 것을 주요 내용으로 하는 개헌이 이루어졌다. 바뀐 헌법에 따라 치러진 대통령 선거에서 야당이 후보 단일화에 실패하여 결국 여당 후보였던 노태우가 당선되었다.
오답피하기 ① 1948년에 치러진 5·10 총선거에 해당한다.
② 1980년에 유신 헌법에 따라 대통령에 선출된 전두환은 개헌을 단행하였다. 자료는 1987년에 치러진 선거이므로 유신 헌법과는 관련이 없다.
④ 1979년에 김영삼이 국회의원직에서 제명당하자, 부산과 마산 일대에서 학생과 시민들이 시위를 일으켰다. 이를 부·마 민주 항쟁이라 한다.
⑤ 통일 주체 국민 회의는 유신 헌법에 따라 설치된 기관으로, 1980년에 폐지되었다.

13회 **미니모의고사** 본문 40~42쪽

1 ②	**2** ④	**3** ①	**4** ④	**5** ④
6 ④	**7** ⑤	**8** ⑤	**9** ③	**10** ①

1 고구려 고분 벽화의 이해

문제분석 자료의 강서 고분은 고구려 무덤으로 이곳의 청룡, 백호, 주작, 현무의 사신도 벽화는 우리나라 고분 벽화를 대표하는 걸작으로 평가된다. 무용총은 고구려의 수도 국내성이 위치했던 곳에 있는 무덤으로, 5명의 남녀가 춤을 추는 무용도와 고구려인의 기상을 보여주는 수렵도를 비롯한 많은 벽화가 그려져 있다. ② 고구려의 광개토 대왕은 백제를 공격하여 황해도 일대를 회복하고, 북쪽으로 후연과 거란을 공격하여 요동과 만주 지역을 차지하는 등 영토를 크게 넓혔다. 그의 정복 활동은 광개토 대왕릉비에 잘 기록되어 있다.

오답피하기 ① 과거제는 고려와 조선 시대에 실시되었다.
③ 발해는 전성기에 북쪽으로 헤이룽강 하류를 점령하고 서쪽으로는 요동 지방, 남쪽으로는 함흥 일대까지 차지하였다. 이 시기에 당은 발해를 해동성국이라고 불렀다.
④ 벽란도는 고려 시대에 국제 무역항으로 번성하였다.
⑤ 고조선에서는 기원전 3세기경 부왕과 준왕이 등장하여 왕위를 세습하였다.

2 전시과 제도의 이해

문제분석 자료에서 고려의 토지 제도로 등급에 따라 토지와 초채지(시지)를 지급하였다는 내용을 통해 (가) 제도는 전시과임을 알 수 있다. 고려는 관리 등에게 토지를 나누어 주는 전시과 제도를 운영하였는데, 문무 관리로부터 군인, 한인에 이르기까지 18등급으로 나누어 곡물을 수취할 수 있는 전지와 땔감을 얻을 수 있는 시지를 주었다. ④ 공음전은 5품 이상의 고위 관료가 되어야 받을 수 있는 토지로 자손에게 세습할 수 있었다. 이는 음서와 함께 귀족의 지위를 유지해 나갈 수 있는 기반이었다. 군인전은 군역의 대가로 지급한 토지로 군역과 함께 자손에게 세습되었다.

오답피하기 ① 고려 말에 제정된 과전법에 대한 설명이다.
② 토지 소유자에게 지계를 발급한 것은 대한 제국의 광무개혁 때 일이다.
③ 고려 시대의 전시과는 수조권만 지급되었다.
⑤ 조선 시대의 과전법에 대한 설명이다. 조선은 과전법에 따라 전·현직 관리에게 토지의 수조권을 지급하였는데, 세습되는 과전의 증가로 지급할 토지가 부족해지자 세조 때 수조권의 지급 대상을 현직 관리로 제한하는 직전법을 실시하였다.

3 조선 시대 지방 행정 파악

문제분석 자료는 조선 시대 지방 행정 조직에 대한 토론 장면이다. ① 조선 시대에는 고려 시대와 달리 모든 군현에 수령이 파견되었다는 사실을 통해 속현이 소멸되었음을 알 수 있다.

오답피하기 ② 5소경은 통일 신라 시대에 군사·행정의 중요한 곳에 설치한 특수 행정 구역이다.
③ 고려 시대에는 수령이 파견되지 않은 속현이 많아 향리가 실질적으로 해당 군현을 지배했지만, 조선 시대에는 모든 군현에 수령이 파견되어 향리가 수령을 보조하는 세습적인 아전으로 격하되었다.
④ 향·부곡·소는 고려 시대의 특수 행정 구역이다. 향·부곡의 거주민은 농업에 종사하였고, 소의 거주민은 주로 수공업 생산을 담당하였는데, 일반 군현민에 비해 차별을 받았다. 향·부곡·소는 조선 시대에 점차 소멸되었다.
⑤ 조선 시대에는 전국을 8도로 나누었다. 일반 행정 구역인 5도와 군사 행정 구역인 양계를 둔 것은 고려 시대이다.

4 조선 후기 경제 상황 이해

문제분석 자료에서 나열된 상품 작물의 수확이 많다는 내용과 '박지원' 등을 통해 조선 후기의 상황임을 알 수 있다. 이 시기에는 상품 화폐 경제가 발달하면서 농민들이 담배, 인삼 등의 상품 작물을 재배하여 시장에 내다 팔아 수입을 올리기도 하였다. ④ 조선 후기 수공업에서는 관영 수공업이 쇠퇴하고 수공업자들이 자유롭게 물품을 생산하는 민영 수공업이 발달하였다.

오답피하기 ① 공음전은 고려 시대에 5품 이상의 고위 관료에게 지급된 토지로 세습할 수 있었다.
② 골품제는 신라 시대의 신분 제도로 골품에 따라 관등 승진과 일상생활 등이 제한되었다.
③ 은병(활구)은 고려 시대에 제작된 고액 화폐였다.
⑤ 고려 시대의 특수 행정 구역인 향·부곡·소에 거주하였던 사람들은 양민이었지만 국가에서 부과한 특정 역을 부담하는 등 일반 군현의 거주민보다 더 많은 경제적 부담을 졌다.

5 중국 군대의 한반도 출병 이해

문제분석 자료는 고대 시기부터 중국의 군대가 한반도를 침략하거나 혹은 출병한 사건을 중심으로 문항을 구성한 것이다. ④ 동학 농민 운동의 과정에서 조선 정부는 동학 농민군을 진압하기 위해 청에 구원을 요청하였다. 청은 조선에 군대를 출병하기 전 톈진 조약에 근거하여 일본 측에 사전 통보하였고, 출병을 준비한 일본도 이 조약에 근거하여 청에 사전 통지하였다.

오답피하기 ① 1875년에 일본은 군함 운요호로 하여금 영종도 등을 공격하게 하였고(운요호 사건), 이를 구실로 삼아 조선과 강화도 조약을 체결하였다.
② 별기군은 1881년에 설치된 신식 군대로, 일본군 교관을 초빙하여 군사 훈련을 시행하였다.
③ 병인박해를 빌미로 1866년에 일어난 병인양요는 프랑스와 관련된 사건이다.
⑤ 1884년에 일어난 갑신정변은 청군의 일부가 청프 전쟁을 계기로 철수하는 배경하에 발생하였다.

6 105인 사건의 영향 파악

문제분석 자료에서 105인에게 유죄 선고, 양기탁 등의 내용을 통해 (가) 사건은 105인 사건임을 알 수 있다. ④ 일제는 안명근이 독립 자금을 모금하다가 적발되자, 이를 총독 암살 미수 사건으로 날조하여 123명을 검거하고 1심 재판에서 105인에게 유죄 판결을 내린 이른바 105인 사건(1911)을 일으켰다. 이 사건을 계기로 신민회는 와해되었다.

오답피하기 ① 일제는 치안 유지법을 제정(1925)하여 독립운동 탄압에 이용하였다. 6·10 만세 운동(1926)을 탄압하는 데 치안 유지법이 이용되었다.
② 독립 협회(1896~1898)는 자주 국권 운동, 자유 민권 운동, 자강 개혁 운동을 전개하였다.
③ 1948년 2월에 열린 유엔 소총회의 결과 남한만의 단독 선거 움직임이 구체화되자, 단독 정부 수립을 반대하는 목소리가 높아졌다.
⑤ 동아일보는 1920년에 창간된 신문이다.

7 민족 말살 통치의 내용 이해

문제분석 자료에서 일본 정신을 고취하기 위해 황국 신민 서사 암송, 신사 참배, 궁성 요배를 실시하고, 내선일체를 완성한다는 점 등을 통해 1930년대 후반 이후 일제가 민족 말살 통치를 본격적으로 전개한 시기임을 알 수 있다. ⑤ 중일 전쟁을 일으킨 일제는 침략 전쟁을 확대하면서 민족 말살 통치의 일환으로 한국인에게 일본식 성명 사용을 강요하였다.

오답피하기 ① 통감부는 을사늑약에 따라 1906년 2월에 설치되어 1910년 8월에 한국 병합 조약으로 조선 총독부가 설치될 때까지 존속하였다.
② 일제는 1912년에 조선 태형령을 제정하여 한국인에게만 신체에 고통을 가하는 태형을 적용하였다. 조선 태형령은 1920년에 폐지되었다.
③ 일제 강점기인 1920년대에 백정들은 조선 형평사를 조직하여 형평 운동을 전개하였다.
④ 대한 제국 정부는 광무개혁의 일환으로 양전 사업을 실시하고, 토지 소유자에게 근대적 토지 소유 증명 문서인 지계를 발급하였다.

8 신간회의 특징 파악

문제분석 자료에서 민족 유일 전선으로 민족 단일당이 결성되었다는 사실, 비약적인 발전을 보여 지회가 크게 늘었다는 사실을 통해 밑줄 친 '본 단체'는 신간회임을 알 수 있다. ⑤ 신간회는 사회주의 단체였던 정우회 선언의 영향을 받아 결성되었다. 정우회는 비타협적 민족주의 세력과 민족 협동 전선을 구축할 수 있다고 선언하여 민족 협동 전선 운동을 진전시켰다.

오답피하기 ① 만민 공동회를 개최한 것은 독립 협회였다.
② 대종교에서 조직한 항일 운동 단체는 중광단이었다.
③ 105인 사건으로 와해된 단체는 신민회이다.
④ 평양과 서울에서 조직된 조선 물산 장려회에 대한 설명이다.

9 5·16 군사 정변 이해

문제분석 자료에서 일부 군인들이 중앙청으로 진입하는 모습, '혁

명 공약' 발표, 국가 재건 최고 회의 구성 등을 통해 5·16 군사 정변과 관련된 내용임을 알 수 있다. ③ 1961년 박정희를 중심으로 일부 군인들이 5·16 군사 정변을 일으켜 정권을 장악하였다. 이들은 정변 직후 '혁명 공약'을 발표하여 반공을 강조하였고, 경제 개발과 사회 안정을 명분으로 제시하여 목표가 달성되면 정권을 이양하고 군대로 복귀할 것을 약속하였다. 그리고 정변을 일으킨 군인들은 국가 재건 최고 회의를 구성하여 군정을 실시하였다.

오답피하기 ① 6·25 전쟁 중 인천 상륙 작전 이후 국군과 유엔군은 서울을 수복하였고, 38도선을 넘어 북으로 진격하여 압록강 유역까지 진출하였다.
② 유신 헌법은 박정희 정부가 1972년에 제정한 헌법이다.
④ 1979년 10월 부산과 마산에서 유신 체제에 저항하는 시위가 발생하였다(부·마 민주 항쟁).
⑤ 10·26 사태로 박정희 대통령이 피살된 이후, 전두환 등 신군부 세력이 12·12 사태를 일으켜 군사권을 장악하였다.

10 노태우 정부 시기의 여소야대 국회 상황 파악

문제분석 자료는 노태우 정부 시기인 1988년에 치러진 총선거의 결과에 해당한다. 당시 총선에서 여당인 민주 정의당에 비해 야당이 더 많은 국회의원을 당선시킴으로써 여소야대 국회가 형성되었다. ① 여소야대 정국이 형성되면서 국민과 야당의 요구에 따라 5·18 민주화 운동과 전두환 정부의 비리 등을 밝히기 위한 청문회가 개최되었다.

오답피하기 ② 1979년에 전두환 등의 신군부 세력이 12·12 사태를 일으켰다.
③ 박정희 정부 시기에 베트남 파병이 추진되었다.
④ 이승만 정부가 사사오입의 논리로 개헌안을 통과시켰다.
⑤ 박정희 정부 시기에 7·4 남북 공동 성명이 발표되었다.

1 ②	2 ④	3 ④	4 ①	5 ①
6 ④	7 ①	8 ①	9 ⑤	10 ③

1 신석기 시대의 생활 모습 파악

문제분석 자료는 가락바퀴, 농경과 목축의 시작, 갈판 등을 통해 신석기 시대에 대한 체험 학습 안내장임을 알 수 있다. ② 신석기 시대에는 농경과 목축을 시작하였고, 정착 생활을 하면서 움집을 짓고 살았다.

오답피하기 ① 삼국은 중앙 집권 국가로 발전하는 과정에서 불교를 수용하였으며, 이후 불상을 제작하였다.
③ 철기가 보급되면서 철제 농기구를 사용하였다.
④ 구석기 시대에 뗀석기인 주먹도끼를 제작하여 사용하기 시작하였다.
⑤ 고구려에서는 제가 회의를 통해 중대 범죄자를 처벌하였다.

2 성리학의 수용 과정 파악

문제분석 자료에서 공민왕 때 성균관을 다시 짓고, 이색, 정몽주 등의 인물이 등장하며, 명륜당에서 수업하였다는 내용 등을 통해 (가) 학문은 성리학임을 알 수 있다. 성리학은 충렬왕 때 안향에 의해 고려에 처음으로 소개되었고, 이후 공민왕 때 성균관이 순수한 유교 교육 기관으로 개편되면서부터 성리학에 대한 본격적인 연구와 교육이 이루어졌다. ④ 성리학을 받아들인 사람은 대부분 신진 사대부였다. 이들은 성리학을 바탕으로 불교의 폐단과 권문세족의 횡포를 적극 비판하면서 사회 모순을 개혁하고자 하였다.

오답피하기 ① 19세기에 최제우가 창시한 동학에 대한 설명이다.
② 초제는 왕실에서 국가와 왕실의 안녕을 기원하며 하늘에 제사를 지내는 도교 행사이다.
③ 도교는 불로장생과 현세의 복을 기원하며 민간 신앙으로 널리 유행하였다.
⑤ 신라 말부터 유행한 풍수지리설은 고려 시대에도 크게 유행하였다. 고려 건국 초에 등장한 서경 길지설은 북진 정책 추진의 이론적 근거가 되었고, 묘청의 서경 천도 운동에도 이용되었다.

3 혼일강리역대국도지도 이해

문제분석 자료에 제시된 설명에서 태종 때에 제작되었다는 점, 서남아시아, 아프리카, 유럽까지 그려 넣었다고 한 점 등을 통해 해당 문화유산은 「혼일강리역대국도지도」임을 알 수 있다. ④ 「혼일강리역대국도지도」는 조선 태종 때에 제작된 세계 지도로, 조선 초기 한반도와 그 주변 지역의 지리에 대한 당시 사람들의 인식을 살피는 데 중요한 자료가 된다.

오답피하기 ① 「몽유도원도」는 15세기 안견의 작품으로, 안평 대군이 꿈속에서 본 풍경을 그린 그림이다.
② 「대동여지도」는 19세기 후반 김정호가 제작한 한반도 지도이다.
③ 강서 고분은 고구려의 굴식 돌방무덤으로, 그 안에는 벽화로 현무도 등의 사신도가 그려져 있다.
⑤ 「천상열차분야지도 각석」은 조선 태조 때에 제작된 천문도이다.

4 조선 후기 사회 변동의 이해

문제분석 자료에서 상민과 천민이 갓을 쓰고 도포를 입으며, 시전 상인이나 상민들이 서로 양반이라고 부른다는 점을 통해 조선 후기 신분제의 동요 상황을 보여주고 있음을 알 수 있다. ① 조선 후기에 상민들은 납속이나 공명첩 매입 외에도 족보를 매입하거나 위조하는 등 불법적인 방법으로 신분을 상승시키기도 하였다.

오답피하기 ② 일제 강점기인 1920년대에 백정들은 조선 형평사를 조직하여 백정에 대한 차별 철폐를 요구하는 형평 운동을 전개하였다.
③ 고려 전기의 지배층인 문벌 귀족은 세습이 가능한 공음전과 과거를 거치지 않고도 관직에 진출할 수 있는 음서의 혜택을 누렸다.
④ 조선 전기에 훈구 세력은 중종반정을 주도하여 연산군을 몰아내고 중종을 즉위시켰다.
⑤ 고려 말에는 홍건적과 왜구의 침입이 빈번하였는데, 이들을 물리치면서 이성계를 비롯한 신흥 무인 세력이 성장하였다.

5 제1차 갑오개혁의 내용 파악

문제분석 대화에서 일본군이 경복궁을 무력으로 점령하고 강요한 개혁, 새로운 기구, 과부의 재가 허용, 공·사노비 제도 혁파 등을 통해 밑줄 친 '개혁'은 제1차 갑오개혁임을 알 수 있다. 전주 화약 체결 후 조선 정부는 청과 일본에 철수를 요구하였으나 일본은 경복궁을 무력으로 강제 점령하고 개혁을 강요하였다. 조선 정부는 교정청을 폐지하고 김홍집을 중심으로 군국기무처를 조직하여 제1차 갑오개혁을 전개하였다. ① 제1차 갑오개혁에는 과거제 폐지, 6조를 8아문으로 개편, 신분제 철폐 등의 내용이 포함되어 있다.

오답피하기 ② 고종은 개화 정책의 일환으로 별기군을 설치하고 5군영을 2영으로 축소하였다.
③ 토지 조사 사업은 조선 총독부가 1910년대에 실시한 정책이다.
④ 원수부는 광무개혁 시기에 설치된 것으로 이를 통해 황제는 군 통수권을 직접 장악하게 되었다.
⑤ 고종은 독립 협회의 건의를 받아들여 중추원을 의회식으로 개편하는 관제를 반포하였다(1898).

6 을미의병 이해

문제분석 국모를 시해하고 군부를 위협하여 머리털을 짧게 깎도록 강요한 것에 반발하여 일어난 의병은 을미의병이다. ④ 1895년 을미사변 이후 성립된 친일 내각은 을미개혁을 단행하여 단발령을 내렸다. 이에 반발하여 유인석, 이소응 등 유생들이 의병을 일으켰다. 이를 을미의병이라 한다. 을미의병에는 동학 농민군의 잔여 세력이 가담하기도 하였다.

오답피하기 ① 한인 애국단원이었던 이봉창은 1932년에 도쿄에서 일왕을 폭살하려 하였으나, 뜻을 이루지 못하였다.
② 홍경래는 1811년에 평안도에서 난을 일으켰다.
③ 임병찬은 1912년 고종의 밀명을 받고 비밀 결사인 독립 의군부

를 조직하였다. 독립 의군부는 복벽주의를 지향하였고, 전국적인 의병 봉기를 계획하였다.

⑤ 1919년에 결성된 의열단은 조선 총독부, 종로 경찰서, 동양 척식 주식회사 등 일제의 식민 통치 기관 파괴에 나섰다.

7 1910년대 무단 통치의 내용 이해

문제분석 일제는 대한 제국의 주권을 강탈한 후 우리 민족에 대해 강압적인 통치 방법을 시행하였다. 일제는 1912년에 신체적 형벌을 가할 수 있는 조선 태형령을 제정하여 한국인에게만 차별적으로 적용하였다. ① 일제는 헌병이 일반 경찰 업무와 행정 업무까지 관여하는 헌병 경찰제를 실시하였다.

오답피하기 ② 제물포 조약은 1882년에 일어난 임오군란의 결과로 조선이 일본과 맺은 조약이다.

③ 고종이 강제 퇴위당한 것은 1907년이다.

④ 제1차 경제 개발 5개년 계획은 1962년부터 추진되었다.

⑤ 국가 총동원법은 1938년에 제정되었다.

8 소년 운동 이해

문제분석 자료는 내일의 호주, 내일의 조선 일군 소년 소녀들, 『어린이』 등을 통해 소년 운동에 대한 것임을 알 수 있다. ① 일찍이 "어린아이를 때리지 마라. 한울님을 때리는 것이니라."라고 강조한 제2대 교주 최시형의 뜻을 이어받아 천도교는 소년 운동을 적극 전개하였다. 방정환이 활약한 천도교 소년회는 어린이날을 제정하고, 잡지 『어린이』를 간행하였다.

오답피하기 ② 독립 공채는 대한민국 임시 정부가 활동 자금을 마련하기 위해 발행하였다.

③ 조선어 학회는 우리말 큰사전 편찬을 추진하였다. 그러나 일제가 조선어 학회 사건을 일으키면서 우리말 큰사전 편찬 작업은 중단되었다.

④ 대한 자강회는 1907년에 고종이 강제 퇴위를 당하자 고종 강제 퇴위 반대 운동을 벌였으며, 이로 인해 일제에 의하여 해산되었다.

⑤ 제1차 한일 협약(1904)으로 파견된 재정 고문 메가타의 주도로 화폐 정리 사업이 추진되어 한국인 자본가, 상인 등이 큰 타격을 입었다.

9 장면 정부 이해

문제분석 자료에서 내각 책임제 정치하에서, 3·15 부정 선거 관련자의 처단 등을 통해 밑줄 친 '정부'가 장면 정부임을 파악할 수 있다. ⑤ 4·19 혁명의 결과 허정 과도 정부가 수립되어 내각 책임제와 양원제 국회 구성을 골자로 한 개헌이 이루어졌다. 이 헌법에 따라 치른 총선에서 민주당이 승리하고, 국회에서 대통령으로 윤보선을 선출하고, 윤보선이 지명한 장면이 국회의 동의를 얻어 국무총리에 취임하였다.

오답피하기 ① 박정희 정부 시기에 한일 회담에 반대하는 6·3 시위가 전개되었다(1964).

② 1948년 5·10 총선거를 앞두고 제주 4·3 사건이 일어났다.

③ 김구는 대한민국 임시 정부에서 주석으로 활동하며 독립운동을 이끌었다.

④ 이승만 정부 시기 제헌 국회에서 반민족 행위 처벌법이 제정되었다.

10 5·18 민주화 운동 파악

문제분석 자료는 계엄령 즉각 해제, 광주에 배치된 계엄군 즉각 철수 등을 통해 5·18 민주화 운동과 관련된 내용임을 알 수 있다. ③ 1980년에 광주의 학생과 시민들은 신군부의 퇴진과 계엄령 철회를 요구하며 시위를 전개하였다. 신군부는 공수 부대를 동원하여 무력으로 이를 진압하였고, 학생과 시민들은 시민군을 결성하여 대항하였다.

오답피하기 ① 1920년대에 대학 설립을 통해 고등 교육을 실현하자는 민립 대학 설립 운동이 전개되었다.

② 긴급 조치권은 1970년대에 박정희 정부가 만든 유신 헌법에 규정된 내용으로 유신 반대 운동을 탄압하는 데 이용되었다.

④ 광주 학생 항일 운동은 1929년에 한·일 학생 간의 충돌 사건을 계기로 일어났으며, 전국적인 항일 시위로 확산되었다.

⑤ 1960년 4·19 혁명으로 이승만 대통령이 하야하였다.

인용 사진 출처

MEMO

MEMO

MEMO